알레르기비염 업데이트

4th Edition (2022)

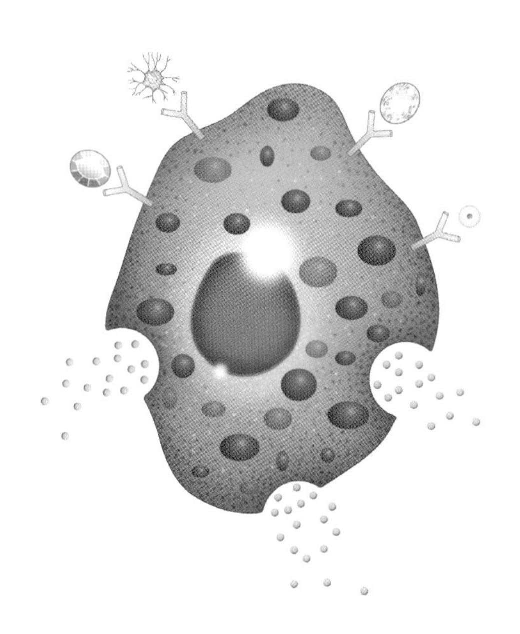

ALLERGIC RHINITIS UPDATE

인사말

대한비과학회 회원 여러분.

알레르기 비염은 타 알레르기성 질환에 비해 국내 유병률이 급속도로 증가하여 사회경제적 문제가 되고 있습니다. 이러한 알레르기 비염의 진단과 치료의 방향을 제시하기 위해 대한비과학회에서는 2003년과 2012년 '알레르기 비염 가이드라인'을 제작하였으며, 2015년에는 알레르기 비염으로 고통받는 다양한 질환군에 대한 정보를 제공하기 위한 증보판을 발간하여 알레르기 비염의 분류, 역학, 병태생리, 진단 및 치료 등 임상적으로 필요한 지식을 요약 정리하여 회원 여러분의 진료에 도움을 드리고자 하였고, 비과 전문의뿐 아니라 알레르기 비염에 관심을 가지고 있는 다양한 분야의 의료인들에게도 진료 지침서로 활용되어 왔으리라 생각합니다.

의약학 분야의 기초, 임상의학의 발전으로 알레르기 비염의 병태생리와 치료 등 다양한 영역에서 변화가 있어왔으며, 이로 인해 국내외 단체에서는 새로운 알레르기 비염 가이드라인들을 제시하게 되었습니다. 이에 비과학회에서도 알레르기 비염 관련 최신 정보의 제공을 위해 '알레르기 비염 업데이트'를 발간하게 되었습니다. 이번 가이드라인 update는 알레르기 비염 전반에 대한 최신 정보를 알기 쉽고 편리하게 진료 현장에서 적용할 수 있도록 내용을 구성하였습니다.

대한비과학회는 회원 여러분들께 비과학 분야에 대한 다양한 정보와 최신 지견을 제공하기 위해 최선을 다해 왔습니다 이번 가이드라인의 출판은 본 학회의 '알레르기 및 면역학 연구회'가 중심이 되어 진료현장에서 필요로 하는 최신 정보와 치료 지침을 여러 회원님들께서 제공하고자 하는 노력의 결실입니다.

이번 알레르기 비염 업데이트의 제작, 감수 및 출판에 참여해 주신 여러 선생님들의 헌신적인 노고에 진심으로 감사드리며, 이번 가이드라인이 회원 여러분들의 진료에 많은 도움이 될 수 있기를 바랍니다.

2022년 7월

대한비과학회 회장 **신 승 헌**

CONTENTS

Ⅵ. 알레르기 비염의 약물요법

Ⅶ. 알레르기 비염의 면역요법

Ⅷ. 알레르기 비염의 수술요법

Ⅸ. 알레르기 비염의 동반질환

I

알레르기 비염의 정의 및 분류

I
알레르기 비염의 정의 및 분류

원저자: 동헌종, 김동영, 김성원, 이건희, 정용기
개정판: 김규보

1. 알레르기 비염의 정의

비염은 코점막의 염증에 의해 코막힘, 비루(전비루 또는 후비루), 재채기, 코 가려움증 중 하나 또는 그 이상의 증상이 2일 이상, 하루 1시간 넘게 나타날 경우 진단할 수 있고, 부비동염, 비강 이물, 또는 종양 등의 질환에 의해 상기 증상이 발생하는 경우에는 비염으로 진단하지 않는다. 비염은 코점막의 염증을 전제로 하지만 혈관운동성 비염(vasomotor rhinitis)이나 위축성 비염(atrophic rhinitis)과 같이 염증이 없는 경우도 비염의 분류에 포함한다. 알레르기 비염(allergic rhinitis)은 비감염성 비염(noninfectious rhinitis) 중 가장 흔한 질환으로 비염 증상이 비만세포(mast cell)에서 유리된 히스타민(histamine)을 비롯한 염증물질에 의해 유발되며 이러한 염증 반응이 항원에 대한 면역글로불린 E (immunoglobulin E, IgE)와 연관된 면역반응에 의해 발생하는 것을 말한다. 이러한 반응을 일으키는 원인 항원(antigen)과 증상의 인과관계를 증명할 수 있을 때 알레르기 비염으로 진단이 가능하다.

2. 알레르기 비염의 분류

알레르기 비염은 오랜 기간 동안 통년성(perennial)과 계절성(seasonal) 두 가지 분류법으로 구분되어 왔다. 그러나 실제 임상에서는 통년성 알레르기 비염이라고 하더라도 1년 내내 증상이 있는 것이 아니며, 계절성 알레르기 비염의 경우도 항원의 종류와 농도에 따라 증상 발현 기간이 워낙 다양하다. 우리나라에서도 계절성 항원보다 통년성 항원인 집먼지 진드기(house dust mite)에 감작된 경우가 많고 다수의 항원, 특히 통년성 항원과 계절성 항원에 동시 감작된 경우가 많아서 통년성/계절성 알레르기 비염으로 분류하는 경우 임상 증상의 지속기간과 일치하지 않는 경우가 있다. 이러한 현상은 통년성 항원이 특정 계절에만 집중적으로 증상을 일으키거나, 반대로 계절성 항원이 일정 기간 이상 오랫동안 증상을 유발시킬 수 있기 때문에 발생하는 것이라 생각되고, 이러한 이유로 치료계획을 정립하는 데에도 어려움이 발생할 수 있다.

이러한 이유로 2001년 "Allergic Rhinitis and its Impact on Asthma (ARIA) in collaboration with WHO, GA2LEN (Global Allergy and Asthma European Network), and AllerGen"에서 증상 발현 기간에 따라 간헐성(intermittent)과 지속성(persistent)으로 분류하고, 증상의 경중에 따라서는 경증(mild) 과 중등도- 중증(moderate to severe)으로 구분하는 새로운 분류법을 제안하였다. 이 분류법은 그후 몇 차례 개정되었으나 분류법 자체의 큰 틀은 바뀌지 않았으며 유럽을 중심으로 하여 북미를 제외한 세계 각국에서 널리 사용되고 있다. ARIA 분류법은 비염의 발병 원인, 원인 항원, 지역적 차이보다는 환자의 증상에 대해 중점을 두고 방대한 양의 논문과 연구 결과를 분석하여 근거 중심 의학(evidence-based medicine)에 따른 치료 방침을 제시하였다. ARIA 기준에 따른 간헐성 비염은 계절성 비염을, 지속성 비염은 통년성 비염을 각각 대체할 수 있는 개념이 아니며 전혀 다른 기준을 가지고 있기 때문에 혼용될 수 없다.

하지만 일부에서는 ARIA에서 제시한 분류법이 너무 치료적 관점만 강조하여 계절에 따른 항원의 변화 및 증상의 변화를 진단에 포함시킬 수 없다는 문제를 제기하였다. 예를 들면 꽃가루 등에 의한 계절성 비염 환자도 4주 이상의 증상을 보이는 경우가 있고 이러한 환자들은 ARIA 분류에 따라 지속성 비염으로 분류된다. 반면에, 증상이 1년 내내 주 3회 있는 경우에는 ARIA 분류에 따라 간헐성 비염으로 분류된다. 또한 알레르기 비염의 치료 선택에 있어서 증상의 중증도가 증상의 지속 기간에 비해 더욱 의미 있음에도 불구하고 기존의 ARIA에서는 간헐성 중증도-중증 비염과 지속성 경증 비염의 치료에 차이가 없다는 문제도 있다.

1) 항원 노출의 시간적 패턴에 따라

- 통년성(perennial): 집먼지 진드기(house dust mite), 곰팡이, 동물 항원처럼 계절에 관계없이 공기 중에 존재하는 항원(aeroallergen)에 의해 발생하는 비염을 말하며 특정 지역에 통년적으로 만연한 꽃가루에 의한 비염도 포함될 수 있다.
- 계절성(seasonal): 계절에 따라 항원의 농도가 크게 변하여 특정 계절에 증상을 유발시키는 항원에 의해 증상이 유발되는 경우 진단할 수 있으며 각 항원에 노출되는 계절의 기간은 지리적인 위치와 기후 조건에 따라 달라질 수 있다.
- 산발성(episodic): 환자들이 일상 생활 중의 실내 또는 실외에서 흔하게 접하는 항원은 아니지만 특수한 상황에서 산발적으로 접하게 되는 항원에 의해 발생하는 비염을 말하며 예를 들어, 친구의 강아지와 접촉했을 때 비염이 생기는 경우가 이에 해당된다.

2) 증상의 발현 빈도에 따라 (ARIA classification)

- 간헐성(intermittent): 일주일에 4일 미만의 증상이 있거나 (or)
  4주 미만의 증상이 있는 경우
- 지속성(persistent): 일주일에 4일 이상 증상이 있고 (and)
  4주 이상 증상이 지속되는 경우

3) 증상의 중증도에 따라 (ARIA classification)

- 경증(mild): 증상이 있으나 ①수면장애, ②일상생활, 레저, 운동 시 불편함이나 ③학교나 직장생활의 불편함, 또는 ④심하게 불편한 증상(troublesome symptoms)이 없는 경우

- 중등도-중증(moderate to severe): ①수면장애, ②일상생활, 레저, 운동 시 불편함이나 ③학교나 직장생활의 불편함, 또는 ④심하게 불편한 증상(troublesome symptoms) 중 한 개 이상이 있는 경우

혹자는 경증, 중등도, 중증 이렇게 세 군으로 좀 더 세분화해서 나누기도 하는데 중등도와 중증 비염의 치료에 차이가 없어 일반적으로 위 두 가지로 나뉘어진다.

3. 국소 알레르기 비염(Local allergic rhinitis, LAR)

알레르기 비염의 전형적인 증상을 보이는 환자들 중 혈액이나 피부 반응 검사에서는 음성이지만, 비강 내 항원유발검사에서 양성 반응을 보이는 경우가 있는데 최근에는 이러한 새로운 임상 표현형을 국소 알레르기 비염으로 별도로 구분한다. 이는 특이 항원에 반응하여 국소적으로 비강에서 IgE를 생성하여 발생하는 것으로 추정되며, 이는 전신적인 아토피가 없으면서(즉, 피부반응검사에서 음성이며 혈청 내 특이 IgE 항체 음성), 비강 유발 반응에서 양성을 보일 때 진단될 수 있다.

References

- Bousquet J, Khaltaev N, Cruz AA, Denburg J, Fokkens WJ, Togias A, *et al*. Allergic Rhinitis and its Impact on Asthma (ARIA) 2008 update (in collaboration with the World Health Organization, GA(2)LEN and AllerGen). Allergy 2008;63(Suppl 86):8-160.
- Bousquet J, Schünemann HJ, Togias A, Bachert C, Erhola M, Hellings PW, *et al*. Allergic Rhinitis and Its Impact on Asthma Working Group. Next-generation Allergic Rhinitis and Its Impact on Asthma (ARIA) guidelines for allergic rhinitis based on Grading of Recommendations Assessment, Development and Evaluation (GRADE) and real-world evidence. J Allergy Clin Immunol. 2020;145(1):70-80.e3.
- Bousquet J, Van Cauwenberge P, Khaltaev N. Allergic rhinitis and its impact on asthma. J Allergy Clin Immunol 2001;108(5 Suupl):S147-334.
- Ciprandi G, Tosca MA, Marseglia GL, Klersy C. Relationships between allergic inflammation and nasal airflow in children with seasonal allergic rhinitis. Ann Allergy Asthma Immunol 2005;94(2):258-61.
- Dykewicz MS, Wallace DV, Amrol DJ, Baroody FM, Bernstein JA, Craig TJ, *et al*. Rhinitis 2020: A practice parameter update. J Allergy Clin Immunol. 2020;146(4):721-67.
- International Consensus Report on the diagnosis and management of rhinitis. International Rhinitis Management Working Group. Allergy 1994;49(19 Suppl):1-34.
- Kim SY, Yoon SJ, Jo MW, Kim EJ, Kim HJ, Oh IH. Economic burden of allergic rhinitis in Korea. Am J Rhinol Allergy 2010;24(5):e110-3.
- Seidman MD, Gurgel RK, Lin SY, Schwartz SR, Baroody FM, Bonner JR, *et al*. Clinical practice guideline: Allergic rhinitis. Otolaryngol Head Neck Surg. 2015;152(1 Suppl):S1-43.
- Valero A, Munoz R. Comments on the classification of allergic rhinitis according to the ARIA guidelines 2008. J Investig Allergol Clin Immunol 2008;18(5):324-6.
- Vardouniotis A, Doulaptsi M, Aoi N, Karatzanis A, Kawauchi H, Prokopakis E. Local Allergic Rhinitis Revisited. Curr Allergy Asthma Rep. 2020;20(7):22.

- Wallace DV, Dykewicz MS, Bernstein DI, Blessing-Moore J, Cox L, Khan DA, *et al*. The diagnosis and management of rhinitis: an updated practice parameter. J Allergy Clin Immunol 2008;122(2 Suppl):S1-84.
- 이상덕. 코 알레르기 진료 가이드라인 - 통년성 비염과 화분증 -. 일본 코 알레르기 진료 가이드라인 작성 위원회 2013

II

알레르기 비염의 역학

II

알레르기 비염의 역학

원저자: 강준명, 이승훈, 전영준, 황세환
개정판: 박수경

1. 유병률

2019년도 국민건강영양조사에 의하면 의사로부터 알레르기 비염을 진단받은 19세 이상 성인의 유병률은 18.1%(남자: 14.6%, 여자: 21.7%)였으며, 20대에서 가장 높은 유병률(26.4%)을 보였다. 이러한 유병률은 2001년의 2.7%, 2005년의 8.3%, 2009년의 11.9%에 비하여 뚜렷한 증가양상을 보였다. 특히 소아 환자에서 알레르기 비염의 유병률이 증가하고 있는 추세이다. 2019년도 청소년건강행태조사 결과에 따르면, 의사로부터 알레르기 비염을 진단받은 중학교 1학년에서 고등학교 3학년까지의 학생은 35.3%(남학생 33.6%, 여학생 37.1%)로 성인에 비해 현저히 높은 유병률을 보였다. 이는 2007년 조사결과(전체 24.5%, 남학생 25.2%, 여학생 23.8%)와 비교하였을 때도 뚜렷하게 증가된 것이다. 학년별로는 중학교 1학년에서 31.9%로 가장 낮았고, 연령이 증가함에 따라 점차 유병률이 높아져 고등학교 3학년에서는 36.5%로 유병률이 가장 높았다.

반면 알레르기 질환은 일반적으로 노년 인구에서 감소하는 것으로 알려져 있다. 2019년 국민건강영양조사에 의하면, 20대(26.4%) 및 30대(21.4%)에 비해 60대(9.4%) 및 70대(6.0%)에서는 현저히 낮은 유병률을 보였다. 그러나 최근 고령화 사회의 진행에 따라 노인 알레르기 비염 환자 역시 유병률이 증가하는 추세를 보이고 있다. 60세 이상의 알레르기 비염 유병률 추이를 보면 2001년 0.5%에 비해 2015년 4.6%, 2019년에는 9.4%로 급격히 증가하고 있는 추세임을 알 수 있다.

2. 유병률에 영향을 미치는 요인

1) 인종과 지역적 요인

알레르기 질환은 특징적으로 농촌에서의 유병률이 도시에 비해 낮은 것으로 알려져 있다. 국민건강영양조사에 따르면 2019년 '동' 지역 거주자의 알레르기 비염 유병률은 16.5%인데 비하여, '읍면' 지역 거주자의 유병률은 14.8%였다. 이는 꽃가루, 바퀴벌레, 집먼지 진드기 등과 같은 주요 항원의 분포에 영향을 주는 도시와 농촌의 환경 및 생활 양식 차이에 의한 것으로 알려져 있다. 또한 싱가포르 국민 중 말레이계보다 중국계에서 천식이나 아토피가 적게 생기는 것으로 보고되어 인종과 알레르기 질환의 연관성이 의심된다.

2) 생활 양식

정신적인 스트레스는 이미 가지고 있는 알레르기 질환을 악화시킬 수도 있고 알레르기 질환 빈도를 증가시킬 수도 있다. 스트레스는 알레르기 질환의 유병률에 영향을 주어 천식뿐만 아니라 알레르기 비결막염(rhinoconjunctivitis)이 증가한다는 보고가 있다. 또한 임신 중의 산모에서 분비된 스트레스 호르몬이 태아의 면역조절 기전에 영향을 주어 천식이나 알레르기 비염과 같은 질환의 발생에 관여할 수도 있다고 한다.

비만은 알레르기 비염의 유병률 증가와 증상의 중증도를 악화시키는 것으로 알려져 있다. 최근 연구에 따르면 체질량지수의 증가가 천식이나 비염과 같은 알레르기 호흡 질환과 관련이 있으며 특히 여성에서 연관성이 더 강하게 나타난다고 한다. 최근 비만의 병태생리를 설명하는 데 있어서 만성적인 염증 반응이 중요하게 관여하는 것으로 알려져 있고 다양한 염증반응물질이 관련된다는 공통점에서 알레르기 질환과 비만 사이의 연관성을 추론할 수 있다.

3) 유아기 감염과 위생가설(Hygiene hypothesis)

1989년 Strachan은 형제 수가 많을수록 알레르기 질환이 감소한다는 점을 토대로, 임신 기간 중 또는 어린 시절의 감염이 알레르기 질환에 대해서 방어적인 효과를 가질 것이라는 '위생가설'을 제시하였다. 이러한 위생가설에 의하면 형제 자매의 수, 영유아기 때의 탁아소 생활, 가축이나 애완 동물 노출 등이 이후 알레르기 질환의 유병률에 영향을 줄 수 있다고 한다.

4) 유전적 소인

알레르기 질환은 환경적 요인뿐만 아니라 유전적인 요인에 의하여 영향을 받기 때문에 알레르기 질환의 가족력이 있는 경우 그 유병률이 증가할 수 있다. 양쪽 부모 중에서 어느 한쪽이 알레르기 질환이 있는 경우 약 50%에서, 부모 모두가 알레르기 질환이 있는 경우 약 75%에서 자녀에게 알레르기 질환이 나타난다고 한다.

3. 기후변화와 대기오염

1) 기후변화

지구온난화 현상은 대기 중의 유해 물질농도를 증가시키고 꽃가루 등과 같은 호흡기 항원양을 변화시켜 알레르기 질환의 유병률과 중증도를 증가시킬 수 있다. 또한 계절적 온도 차이에 영향을 주는 기후변화는 꽃가루와 곰팡이와 같은 알레르기 원인 항원의 연중분포를 변화시킬 수 있다.

2) 대기오염

(1) 국내 대기오염의 주된 원인과 영향

알레르기 질환에 영향을 주는 대표적인 대기오염물질로는 각종 화석 연료의 연소산물인 일산화탄소, 이산화질소, 아황산가스, 대기분진, 휘발성유기화합물, 오존 등이 있다. 최근에는 미세먼지, 포름알데히드, 담배연기 등의 실내외 대기오염물질들도 알레르기의 위험인자들로 작용하고 있음이 밝혀지고 있다. 이러한 대기오염의 원인물질들은 개개인의 유전적 감수성에 의해 조절되는 알레르기 염증의 면역반응 체계에 작용을 하여 알레르기 질환에 영향을 주게 된다.

(2) 대기오염의 환경영향평가기준

대기오염원인 물질에 따른 환경영향평가기준에 대하여 국내에서는 대기 중의 오염도를 실생활에서 일반인도 쉽게 알 수 있도록 대기환경기준이 설정된 대표적인 6개 대기오염물질(SO_2, CO, NO_2, O_3, PM_{10}, $PM_{2.5}$)을 대상으로 대기오염물질별 인체영향과 체감오염도를 반영한 통합대기환경지수(comprehensive air-quality index, CAI)을 제시하고 있다(표 2-1). 대기오염에 대한 지역별 통합대기환경지수의 실시간 정보는 www.airkorea.or.kr를 통해 확인할 수 있다.

표 2-1. 통합대기환경지수(CAI)

지수구간(CAI)	지수구분	구간의미
1 (0-50)	좋음	대기오염 관련 질환군에서도 영향이 유발되지 않을 수준
2 (51-100)	보통	환자군에게 만성 노출 시 경미한 영향이 유발될 수 있는 수준
3 (101-250)	나쁨	환자군 및 민감군(어린이, 노약자 등)에게 유해한 영향 유발, 일반인도 건강상 불쾌감을 경험할 수 있는 수준
4 (251-500)	매우 나쁨	환자군 및 민감군에게 급성 노출 시 심각한 영향 유발, 일반인도 약한 영향이 유발될 수 있는 수준

(3) 미세먼지(Particular matter, PM)

미세먼지는 천식의 급성 악화와 천명 발생의 주요한 원인요소이다. 미세먼지는 금속, 카본 블랙, 다환족 탄화수소(PAH), 불완전 연소한 기타 물질, 생물학적 물질 등 다양한 구성성분으로 이루어져 있다. 천식환자에서 미세먼지 농도와 천식 증상의 악화가 관련성이 있다는 여러 연구결과들이 제시되고 있으며, 이는 미세먼지로 인한 산화스트레스로 인하여 염증 수준이 증가되고 기도 과민성이 증가되어 나타나는 것으로 알려져 있다.

(4) 간접흡연

간접흡연은 흡연자가 있음으로 인해 담배에서 나오는 유해물질에 노출되는데, 최소 250가지 이상의 독성 화학물질에 노출되며 이 중에 50여 가지의 발암물질이 포함되어 있다. 간접흡연은 $PM_{2.5}$의 형태로 인체에 흡수될 뿐 아니라 각 독성물질에 의한 독성이 더해진다. 지역사회건강조사에 따르면 국내 간접흡연 노출률은 38.7%(남), 35.4%(여) 수준으로 33.0%(남), 35.0%(여)의 다른 나라에 비하여 높다. 메타 분석에 의한 간접 흡연의 알레르기 질환에 대한 영향평가 결과, 아토피 피부염, 천식, 알레르기 비염에 대한 위험요인으로 나타났다.

4. 황사(Asian sand dust)

황사는 주로 3-5월에 많이 발생되며, 편서풍의 기류를 따라 중국과 몽골 사막지대의 모래, 흙먼지, 다양한 공해물질들이 한반도에 유입되어 사회경제적으로 광범위한 피해를 주는 것으로 알려져 있다.

사막지대의 황사는 석영(규소), 황토지대의 황사는 장석(알루미늄)이 주성분이다. 황사 먼지의 크기는 3-10 μm 사이의 크기가 가장 많으며 PM_{10}의 농도가 심한 경우에는 1,000 ㎍/㎥를 넘기도 한다. 황사는 다양한 공해 물질들을 포함하고 있는데 이들 물질 중에서 여러 가지 상기도 및 하기도 질환과 연관되는 것은 입자의 크기가 10 μm 이하인 미세입자(PM_{10})이다. 환경부에서 정한 PM_{10}에 대한 환경 기준은 연간 평균치를 기준으로 하였을 때는 50 ㎍/㎥이하이고 24시간 평균치를 기준으로 하면 100 ㎍/㎥ 이하이다. 황사 주의보와 경보의 국내 발령기준은 아래와 같다.

- **황사 주의보**
  황사로 인하여 1시간 평균 미세먼지(PM_{10}) 농도가 400 ug/㎥ 이상, 2시간 이상 지속 예상

- **황사 경보**
  황사로 인하여 1시간 평균 미세먼지 농도가 800 ug/㎥ 이상, 2시간 이상 지속 예상
  주) 미세입자: PM (particulate matter)

알레르기 마우스 모델에서 황사 자극에 노출된 기간에 따른 염증반응의 차이는 없었지만 대조군과 비교 시 알레르기 비염 관련 증상 점수가 유의하게 증가되었기 때문에 사람에서도 황사에 노출이 되면 알레르기 비염이 있는 환자들의 증상이 심해질 것으로 예상된다. 다양한 성분으로 구성된 황사의 특성을 생각할 때 구체적으로 어떠한 성분이 알레르기 반응을 유도하는지에 대해서는 아직 잘 알려져 있지 않지만 최근의 연구에 의하면 Th2 사이토카인에 의한 염증 반응이 관여하는 것으로 생각된다.

황사기간 중 천식 환자에서 폐기능이 감소되고 증상이 심해진다. 또한 천식과 같은 호흡기 질환으로 인한 일별 사망률과 입원률이 증가한다는 보고도 있다. 국내에서 시행된 연구에 따르면 황사시기에 40% 이상의 성인이 황사와 관련된 불편한 증상을 호소하였으며 황사로 인한 증상은 눈이 아프거나 충혈, 목이 따가움, 기침 또는 가래, 가슴답답, 피부증상, 콧물 등이 있다.

5. 새집증후군 (Sick building syndrome, Sick house syndrome)

새로 지은 건물이나 주택에 입주를 하였을 때 실내환경과 연관될 수 있는 다양한 오염물질로 인하여 그 전에 없었던 원인불명의 다양한 의학적 증상이 몸에 나타나는 것을 새집증후군이라고 한다.

다양한 건축자재와 붙박이 가구 등에서 방출되는 휘발성유기화합물(volatile organic compounds, VOCs)과 포름알데하이드(HCHO) 등이 새집증후군의 주요 원인이며 그 밖에 다양한 건축재료 내에 포함된 벤젠, 톨루엔, 클로로포름, 크실렌 등이 원인이 될 수 있다. 또한 실내에서의 흡연, 오염된 외부공기의 실내유입 등이 관련될 수 있고 곰팡이와 같은 부유 미생물은 실내 환경에 존재하는 대표적인 생물학적 유해인자로서 새집증후군을 일으키는 데 영향을 줄 수 있다.

새집으로 이사한 직후 특별한 이유없이 피부, 눈, 코, 인두, 후두 등에 대한 자극 증상이 발생하고 아토피 피부염이나 알레르기 비염, 천식과 같은 다양한 기존의 알레르기 질환이 악화되고 두통, 피로감 등과 같은 비특이적인 증상이 나타날 수 있다.

References

- Apter A, Bracker A, Hodgson M, Sidman J, Leung WY. Epidemiology of the sick building syndrome. J Allergy Clin Immunol. 1994;94(2 Pt 2):277-88.
- Chong TM. Pattern of bronchial asthma in Singapore. Singapore Med J. 1972;13(3):154-60.
- Dave ND, Xiang L, Rehm KE, Marshall GD, Jr. Stress and allergic diseases. Immunol Allergy Clin North Am. 2011;31(1):55-68.
- Enright PL, Kronmal RA, Higgins MW, Schenker MB, Haponik EF. Prevalence and correlates of respiratory symptoms and disease in the elderly. Cardiovascular Health Study. Chest. 1994;106(3):827-34.
- Ghosh D, Chakraborty P, Gupta J, Biswas A, Roy I, Das S, *et al*. Associations between pollen counts, pollutants, and asthma-related hospital admissions in a high-density Indian metropolis. J Asthma. 2012;49(8):792-9.
- Hwang SS, Cho SH, Kwon HJ. Effects of the severe asian dust events on daily mortality during the spring of 2002, in Seoul, Korea. J Prev Med Public Health. 2005;38(2):197-202.
- Kilpeläinen M, Koskenvuo M, Helenius H, Terho EO. Stressful life events promote the manifestation of asthma and atopic diseases. Clin Exp Allergy. 2002;32(2):256-63.
- Kim J, Kim EH, Oh I, Jung K, Han Y, Cheong HK, *et al*. Symptoms of atopic dermatitis are influenced by outdoor air pollution. J Allergy Clin Immunol. 2013;132(2):495-8.e1.
- Kim ST LE, Jung JH, Gang IG, Cha HE, Kim DY, *et al*. The Effect of Asian sand dust in allergic inflammation of allergic mouse. Korean J Otorhinolaryngol-Head Neck Surg. 2009;52(6):498-505.
- McKee WD. The incidence and familial occurrence of allergy. J Allergy. 1966;38(4):226-35.
- Norbäck D. An update on sick building syndrome. Curr Opin Allergy Clin Immunol. 2009;9(1):55-9.
- Oberg M, Jaakkola MS, Woodward A, Peruga A, Prüss-Ustün A. Worldwide burden of disease from exposure to second-hand smoke: a retrospective analysis of data from 192 countries. Lancet. 2011;377(9760):139-46.

- Slavin RG. Special considerations in treatment of allergic rhinitis in the elderly: role of intranasal corticosteroids. Allergy Asthma Proc. 2010;31(3):179-84.
- Song WJ, Sohn KH, Kang MG, Park HK, Kim MY, Kim SH, *et al*. Urban-rural differences in the prevalence of allergen sensitization and self-reported rhinitis in the elderly population. Ann Allergy Asthma Immunol. 2015;114(6):455-6.
- Strachan DP. Hay fever, hygiene, and household size. BMJ. 1989;299(6710):1259-60.
- von Mutius E. Allergies, infections and the hygiene hypothesis--the epidemiological evidence. Immunobiology. 2007;212(6):433-9.
- Weinmayr G, Forastiere F, Büchele G, Jaensch A, Strachan DP, Nagel G. Overweight/obesity and respiratory and allergic disease in children: international study of asthma and allergies in childhood (ISAAC) phase two. PLoS One. 2014;9(12):e113996.

III

알레르기 비염의 병태생리

알레르기 비염의 병태생리

원저자: 신승헌, 김동은, 김용민, 신승엽
개정판: 민진영

1. 알레르기 비염의 병태생리

알레르기 비염은 유전인자, 환경인자 및 조직의 국소인자 등이 관여하여 재채기, 수양성 비루, 가려움증, 코막힘을 주요 증상으로 하는 코점막에서 발생하는 제I형 과민반응 질환이다. 코점막에서 나타나는 IgE 매개 염증반응으로 림프구, 비만세포, 호산구, 호염기구 등에 의해 다양한 화학매개물질이 만들어지고 이로 인해 여러 가지 임상 증상이 나타나게 된다(그림 3-1).

1) 비점막(The nasal mucosa)

비점막은 호흡기계의 일차 방어를 담당하며 이를 위하여, 비점막에서는 상피 항상성(epithelial integrity)을 유지하고 면역반응의 개시가 일어나게 된다. 여러 원인에 의하여 비점막이 손상되면 비점막의 상피에서는 다양한 alarmin, damage-associated molecular patterns (DAMPs)의 분비를 유발해 면역 기능을 강화시킨다. 알레르기 비염에서도 이와 유사한 반응이 일어난다. 알레르기 비염을 유발하는 항원들이 직접적으로 비점막 상피세포를 손상시키거나 pattern recognition receptor를 활성화시키면, 비점막의 상피세포에서는 IL-33, IL-25, thymic stromal lymphopoietin (TSLP)과 같은 alarmin을 분비함으로써 group 2 innate lymphoid cells (ILC2)를 자극하여 IL-4, IL-5, IL-13과 같은 Th2 사이토카인을 분비하여 type 2 adaptive immune response를 일으켜 결국 IgE class switch 및 점막의 염증 반응을 유발하게 된다. 추가적으로, 환경인자들과 감염원들도 유사한 영향을 줄 수 있다(그림 3-1).

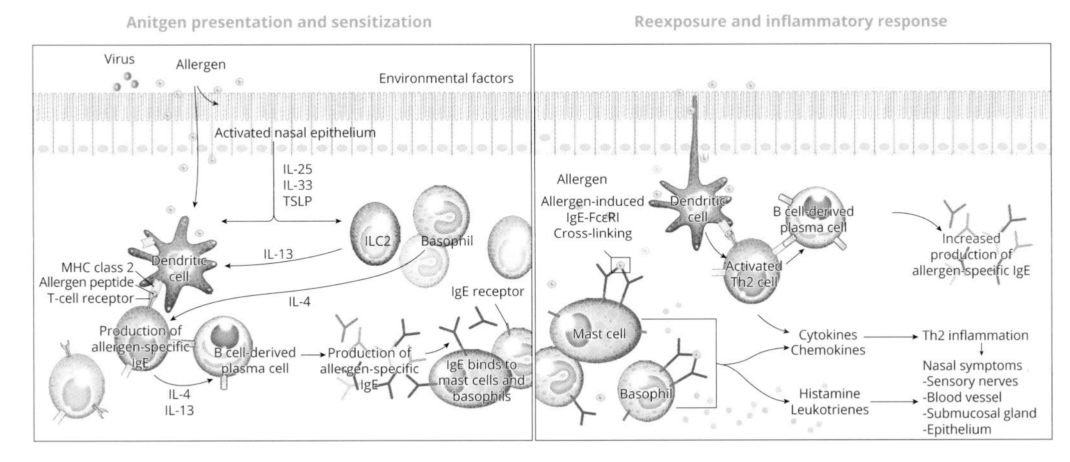

그림 3-1. **알레르기 비염의 병태생리**

2) 항원 전달 및 감작(Antigen presentation and sensitization)

비강으로 들어온 항원은 점막하 조직으로 침투하게 되고 항원전달세포(antigen presenting cell, APC)를 통해 림프구와 상호작용하게 되는데 B 세포에서는 IgE를, T 세포에서는 IL-4, IL-5, IL-13과 같은 Th2 사이토카인을 만들어 알레르기 반응이 일어나게 된다. 생성된 IgE는 비만세포 표면에 존재하는 수용체(Fc receptor)에 부착하게 되는데 이 과정을 감작이라고 한다(그림 3-2).

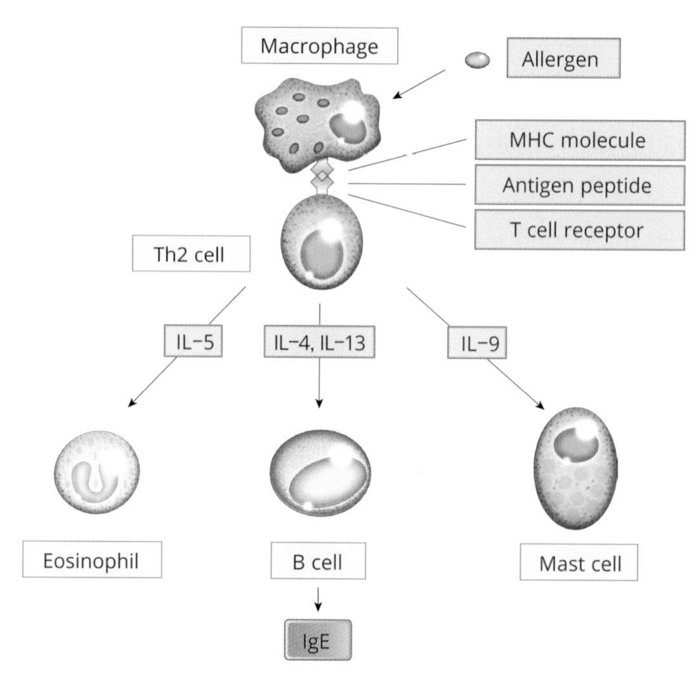

그림 3-2. 알레르기 감작반응 기전

3) 염증 반응(Inflammatory response in allergic rhinitis)

감작된 비만세포가 항원에 다시 노출되어 세포 표면의 IgE와 항원이 결합하는 경우 비만세포의 탈과립에 의해 히스타민이 유리되고 이후 류코트리엔, 인터류킨 등 화학매개물질이 생성되어 초기형 알레르기 반응이 시작되며 이후 호산구, 단핵구, 호염기구 등의 염증세포가 조직으로 모여들어 지연형 알레르기 반응이 나타나게 된다.

(1) 초기형 반응(Early-phase response)

항원 감작단계에서 생성된 특이 IgE는 비만세포나 호염기구의 표면에 있는 IgE 수용체인 class I IgE FcεRI에 결합하게 되며, 같은 항원에 다시 노출되었을 경우 항원과 특이 IgE의 결합으로 비만세포 등을 활성화시킨다. 항원에 재노출되면 5분 안에 비만세포에 이미 형성되어 있었던 히스타민, 단백효소, tumor necrosis factor (TNF) 등의 매개물질이 탈과립되어 비충혈, 수양성 비루 등의 알레르기 비염 초기형 반응 증상들을 유발한다. 15분 내에 아라키돈산의 대사물질인 프로스타글란딘, 류코트리엔, 혈소판 활성인자 등의 지방매개물질들이 새롭게 형성되어 분비되며 이들은 호산구, 호중구, 단핵구, 림프구 등을 알레르기 염증 부위로 끌어들이고, 혈관, 신경, 점액선 등에 작용하여 비충혈, 수양성 비루, 가려움증, 재채기 등의 알레르기 비염 증상을 악화시킬 뿐 아니라, 지연형 반응을 유도하게 된다(그림 3-3).

(2) 지연형 반응(Late-phase response)

항원에 노출된 뒤 수 시간 후에 부종과 백혈구 침윤을 동반하는 지연형 반응이 나타난다. 항원에 의한 자극 4-6시간 후 일어나며 24시간 이내로 지속된다. 혈관 내에 존재하는 염증세포들이 조직에서 염증반응을 일으키려면 혈관벽을 통과하여 조직까지 이동하여야 한다. 항원에 노출된 후 염증매개물질과 함께 다양한 염증 세포들이 비점막과 비분비물에 유입된다. 일반적으로, 비분비물에서 호산구의 증가는 항원 노출 후 1-2시간 내에 발생하고 4-8시간 후 최고조에 달한다고 한다. 호염기구는 비분비물에 존재하는 세포들 중 약 1% 정도를 차지하며, 히스타민 농도와 상관관계가 있는 것으로 미루어 보아 지연형 반응의 히스타민 분비에 호염기구가 관여하는 것으로 추측된다. 호염기구는 주로 비분비물에, 비만세포는 비점막의 상피층이나 고유층에 많이 관찰된다고 한다. 호산구와 호염기구도 점막하층에서 발견되지만 점막하층에서 보이는 대부분의 세포는 림프구와 단핵구이다. 항원 노출 후 조력 T세포나 $CD25^{+}$T세포가 많이 증가하며, 이 중 대부분이 Th2세포이다. 또 다른 중요한 세포가 랑게르한스세포인데 이는 큰 단핵성 수지상세포로 항원전달세포의 일종이다.

세포의 이동은 면역반응에서 중요한 요소로 염증세포는 선택적으로 혈류에서 염증 부위로 이동한다. 이러한 염증세포의 이동에는 염증세포 자체의 표면에 있는 접착분자와 혈관내피세포에 표현되는 접착분자가 결합하는 과정이 필요하다. 초기형 반응에서 분비된 히스타민이나 TNF, IL-1, IL-4 등이 혈관벽 내피세포에 vascular cell adhesion molecule-1 (VCAM-1)과 같은 접착분자를 증가시킴으로써 혈액 내를 순환하던 호산구, 호중구, 단핵구, 림프구 등의 세포들을 접착분자와 부착시킨 뒤 내피세포 사이를 빠져나오게 한다.

케모카인(chemokine)은 혈관을 빠져나온 염증세포들을 점막 내 상피세포 쪽으로 유도하는데, 분자의 아미노산 구조에 따라 CXC, CC, C 케모카인 등으로 구분한다. CXC 케모카인은 대부분 호중구에 대한 화학주성을 나타내고, CC 케모카인은 단핵구, 림프구, 호산구 등에 대한 화학주성을 나타낸다. 호산구는 알레르기 비염의 지연형 반응을 담당하는 주요 염증세포이고 상피세포에서 주로 분비되는 granulocyte-macrophage colony stimulating factor (GM-CSF)와 IL-5는 코점막에서 호산구의 생존을 연장시킨다(그림 3-3).

(3) 지속성 알레르기 염증반응(Ongoing allergic inflammation)

상피세포, 비만세포, 호산구, 호염기구, T 세포와 같은 조직에 침윤된 염증세포들이 지속성 알레르기 염 증반응을 유지하는데 있어 중요한 역할을 한다. 비만세포로부터 분비된 IL-4, IL-13 등과 T 세포는 B 세포로 하여금 특이 IgE를 생산하게 유도하여 국소적 IgE 생산을 가능하게 한다. 또한 감작된 비만세포에는 고친화력 IgE 수용체(FcεRI)나 T/B 세포의 상호연결에 관여하여 IgE 생산을 유도하는 CD40에 대한 리간드(ligand) 등이 증가되어 있어서 지속성 알레르기 염증반응을 유도한다.

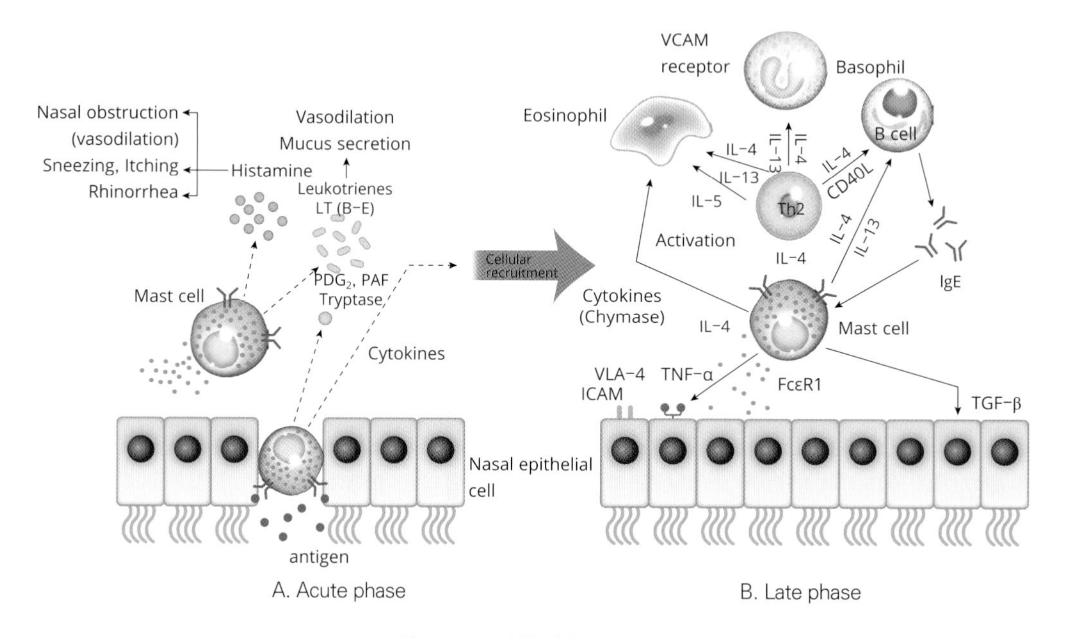

그림 3-3. 초기형 반응과 지연형 반응

4) 알레르기 비염 증상과 염증매개물질 및 신경의 역할

비점막은 구심성과 원심성 신경, 신경절후 자율신경계에 의해 조절되며 알레르기 비염의 증상과 밀접한 연관이 있다. 비점막은 adrenergic nerve, cholinergic nerve가 풍부하게 분포하며, 이들은 상피세포에 분포하는 nocioceptor C fiber와 같은 감각신경의 자극에 의하여 활성화된다. 비점막의 C fiber와 감각신경들에는 알레르기반응 시 분비되는 매개물질들(histamine, bradykinin 등)뿐만 아니라 물리적 화학적 유해물질(low pH, 온도, CO_2, 고장성 등)에 반응하는 이온 채널 등의 수용체가 분포한다. 또한, 최근 연구에 따르면 비강 화학감응세포(nasal chemosensory cells)에는 bitter taste receptor가 분포한다고 알려져 있는데, 이는 비점막이 특정 유해자극 혹은 세균에 반응하는 특별한 감각신경계가 비점막에 존재함을 의미한다. 코에 분포하는 신경과 신경으로부터 분비되는 신경전달물질은 신경인성염증(neurogenic inflammation)으로 알려진 기전을 통하여 알레르기 비염의 병태생리를 조절하며, tachykinins, neurokinin A 등의 신경펩타이드가 관여한다.

재채기는 히스타민이 감각신경인 삼차신경을 자극하여 일어나게 되는데 이는 주로 substance P (SP)나 calcitonin gene-related peptide (CGRP) 양성인 삼차신경에 의한 호흡반사이다. 또, 히스타민이 SP, CGRP 양성 삼차신경을 자극하면 코점막 과민성이 증가되어 구심성 자극이 중추의 부교감신경에 전달되어 코점막에서 아세틸콜린이 유리되고 코점막 분비샘이 자극되어 콧물이 만들어진다. 히스타민, 류코트리엔, 혈소판 활성인자(platelet-activating factor) 등은 코점막 혈관을 직접 자극하여 혈관 투과성을 항진시켜 혈장의 누출을 유도하여 콧물의 양을 증가시키기도 한다. 알레르기 비염 환자의 코막힘은 초기형 반응기에는 히스타민, 류코트리엔 등이 코점막 혈관의 평활근 이완을 유도하여 나타날 뿐 아니라 부교감신경의 자극에 의해 코점막 혈관의 확장과 혈장 누출에 의해서도 나타나지만 이 시기에는 비교적 약하게 나타나며 지연형 반응기에는 히스타민, 류코트리엔, 혈소판 활성인자, 트롬복산 등의 화학매개물질이 관여하여 초기형 반응기에 비해 심하게 나타난다(표 3-1).

표 3-1. 알레르기 비염의 주요 증상과 그 매개물질

	Histamine	Prostaglandin	Leukotriene	Bradykinin	PAF
간지러운 증상(Itching)	O	O			
코를 비비는 증상(Nose rubbing)	O	O			
알레르기 경례(Allergic salute)	O	O			
재채기(Sneezing)	O		O		
코막힘(Nasal congestion)	O		O	O	O
구호흡(Mouth breathing)	O		O	O	O
코골이(Snoring)	O		O	O	O
콧물(Runny nose)	O		O		
후비루(Postnasal drip)	O		O		
헛기침(Throat clearing)	O		O		

5) 국소적 IgE 생산과 국소 알레르기 비염(Local allergic rhinitis)

코점막에서 국소적 IgE 생산은 알레르기 비염에서 일어나는 반응 메커니즘 중의 하나이다. 이러한 국소적 IgE 생산은 알레르기 피부반응검사 또는 혈청 특이 IgE에 대하여 양성반응을 보이는 알레르기 비염 환자뿐 아니라 특발성 비염(idiopathic rhinitis) 환자나 피부반응검사 또는 혈청 특이 IgE에 대하여 음성 반응을 나타내는 일부 환자에서도 관찰되기도 한다. 따라서 이전에 비알레르기 비염(non-allergic rhinitis) 또는 특발성 비염으로 분류되었던 환자들 중 코점막에서의 IgE 생산과 함께 국소적 알레르기 반응이 관찰되는 경우가 국소 알레르기 비염(local allergic rhinitis)으로 분류한다. 국소 알레르기 비염 환자들의 증상은 일반적인 알레르기 비염 환자들의 증상과 유사하며 IgE 매개 질환이라는 공통점이 있기는 하지만 지금까지 경과 관찰을 통한 연구 결과에 따르면 알레르기 비염의 전단계 질환이라고 보기는 어려우며, 추가적인 연구를 통한 규명이 필요한 부분이다.

6) Microbiome의 역할

최근 비인두, 폐, 비강 및 부비동의 미생물총이 알레르기 질환 유발과 연관이 있다는 많은 연구들이 보고되고 있다. 특히, 알레르기 비염과 연관된 연구들에서는 생후 1개월에 *Clostridium difficile* 감염이 있을 때 2세에 확인한 알레르기 항원 감작률이 증가한다[odds ratio (OR) 1.54; 95% confidence interval (CI), 1.09 to 2.31]는 보고가 있으며, 1세에 gram-negative to gram-positive bacteria 감염이 있었던 경우 생후 1.5세에 측정한 IgE 농도가 증가됨이 확인되었다(> 100 kU/L). 또한 알레르기 비염 환아에서 *Lactobacilli*, *Bifidobacterium bifidum* colonization의 빈도가 유의하게 적다는 보고도 있다. 이처럼 마이크로바이옴과 알레르기 비염의 병태생리에 기여할 것으로 생각되지만 아직 이견이 많은 부분이며 추가적인 연구들이 필요한 분야이다.

2. 알레르기 염증세포

1) T 세포(T cell)

(1) 조력 T 세포(T helper cell, Th cell)

조력 T 세포는 CD4 항원을 세포 표면에 발현하여 $CD4^+$ T 세포로도 불린다. 이들 세포는 B 세포, 대식 세포, 수지상세포와 같은 전문적 항원전달세포(professional antigen presenting cells)에 의해 처리되어 주조직접합체 2군(major histocompatibility complex class-II, MHC-II) 분자와 함께 세포 표면에 제시된 외부 항원을 인식한다. 조력 T 세포는 항원-특이 염증 반응을 일으킬 수 있고 면역글로불린의 생성을 조절하여 주로 체액면역(humoral immunity)과 관련이 있다.

조력 T 세포는 국소 면역반응을 조절 또는 증폭하는 데 필요한 다양한 사이토카인을 생성하여 알레르기 염증반응을 지속시키는 데 도움을 주기 때문에 알레르기 염증반응에서 가장 중요하고 주된 세포이다. 알레르기 비염 환자에서는 꽃가루 유행 시기가 아니어도 항원에 노출되면 24시간 후에 코점막에서 조력 T 세포와 Th2형의 사이토카인 양이 증가하는 것을 알 수 있다.

(2) 세포독성/억제 T 세포(T cytotoxic/suppressor cell, Tc cell)

세포독성/억제 T 세포는 CD8 항원을 세포 표면에 발현한다. 주조직접합체 1군(MHC-I) 분자와 함께 제시된 내인성 항원과 상호작용을 하며, 주로 세포 매개성 면역반응(cell-mediated response)에 관여한다. 주조직접합체 1군은 모든 유핵세포의 표면에 존재하며, 전형적으로 세포독성/억제 T 세포는 특히 바이러스같은 병원체에 의해 활성화된다. 따라서 세포독성/억제 T 세포는 알레르기 항원에 대한 염증반응을 일으키지는 않지만, 알레르기 질환에서 기도염증반응을 악화시킬 수 있다. 즉, 기도점막에서 세포독성/억제 T 세포는 주로 면역반응을 조절하는 역할을 하거나 IL-4, IL-5, IL-13과 같은 사이토카인을 생성하여 알레르기 염증반응을 증가시키거나 유지하는 데 도움을 주는 것으로 알려져 있다.

(3) 감마/델타 T 세포(TCR γ/δ T cell)

감마/델타 T 세포는 CD4와 CD8 둘 다 발현하지 않으며 상피의 방어와 관련이 있고 코뿐만 아니라 폐와 위장관에도 존재하는 것으로 알려져 있다. 감마/델타 T 세포는 주조직접합체 분자가 아닌 대식세포의 표면에 있는 CD1을 인식하고 heat shock proteins, 지질, 당지질 같은 물질들이 잠재적으로 이들 세포와 상호작용을 하며 항원들에 노출되었을 때 알레르기 염증반응을 일으킬 수 있는 것으로 알려져 있다.

(4) NKT 세포(Natural killer T cell)

여러 연구에서 NKT 세포라 불리는 T 세포의 이형(variant)이 천식환자에서 존재하고, 특히 심한 천식환자에서 이들 세포들이 많이 증가한다고 보고하고 있다. 조력 T 세포는 모든 잠재적 항원과 반응하는 매우 다양한 특이성을 갖는데 반해, NKT 세포들은 제한된 T 세포 수용체(T cell receptor, TCR)의 레파토리를 갖기 때문에 T 세포 수용체에 의존적이고 다양한 특이성을 보여주지 못한다. 그리고 이들 세포 중 일부, 특히 천식에서 활동성 NKT 세포는 $CD4^{+}$이다. 또한, 감마/델타 T 세포처럼 이들 세포도 항원제시세포 표면의 CD1d를 인식하는데, 이것은 이 세포를 활성화시키는 리간드들이 표준화된 항원이 아님을 의미한다. 즉, 이들은 CD1d에 친숙함이 있는 단백질이나 지질일 가능성이 있다. 이것은 일부 비알레르기 비염이나 천식환자에서 NKT 세포가 조력 T 세포보다 주된 염증 세포일 수 있음을 의미한다. 천식이나 알레르기 비염 환자에서 이형 NKT 세포는 IL-4와 IL-13을 주로 생성하는 것으로 알려져 있다.

2) B 세포(B cell)

체액성 면역반응은 B 세포에 의해 일어난다. 성숙한 B 세포는 면역글로불린을 세포 표면에 발현하는데, 이는 항원-특이적인 B 세포 수용체(B cell receptor, BCR)이다. T 세포 수용체와 같이 B 세포 수용체도 항원결합부위 또는 variable (V) region 로 구성된 분자복합체이다. 이 부위의 단백질은 면역글로불린마다 다양하여 각각의 항체가 어떠한 외부 물질에도 결합할 수 있다. 골수에서 발생하는 동안, 다양한 면역글로불린을 생성하기 위해 B 세포는 heavy chain과 light chain의 variable (V), diversity (D), joining (J) 부위의 체세포 DNA 재조합을 거치게 되는데 이것을 VDJ 재조합이라고 한다. 5가지 주요 면역글로불린에는 IgM, IgD, IgG, IgE, IgA가 있다. 항체와 마주친 적이 없는 naive B 세포는 표면에 IgM과 IgD를 발현한다. 세포막 결합형태의 B 세포 수용체는 항체를 인식하고 결합하여 활성신호를 세포에 전달한다.

3) 비만세포(Mast cell)

골수 전구체로부터 유래하는 비만세포는 주로 말초 조직에만 존재한다. 비만세포는 면역학적 또는 비면역학적 자극에 의하여 세포질 과립에 저장된 히스타민 등의 염증매개물질과 사이토카인을 분비하여 면역반응과 염증반응에 관여하고 세포막에 부착되어 있는 IgE 항체에 알레르기 반응의 원인이 되는 항원이 결합하게 되면 여러 종류의 화학매개물질을 분비해 알레르기 증상을 유발한다.

사람의 비만세포는 직경이 7-20 ㎛이며, 형태는 원형 또는 방추형이다. 비만세포의 핵은 원형 혹은 타 원형으로 세포의 한쪽에 치우쳐 있으며, 대개의 경우 분절되지 않는다(그림 3-4). 성숙한 비만세포의 특징적인 형태는 세포 전체 부피의 절반 이상을 차지할 정도로 많은 양의 세포질 내 분비성 과립이다.

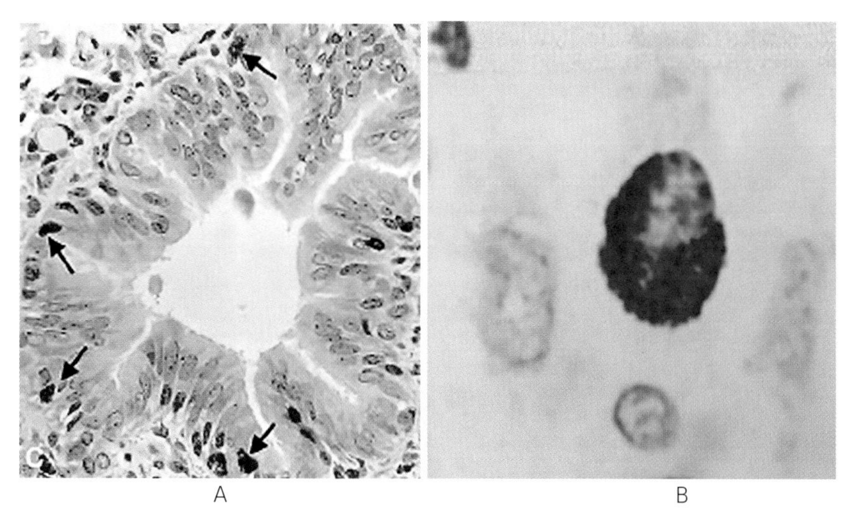

그림 3-4. 비만세포의 형태(A, 화살표)와 기도 상피 조직에서 비만세포 염색(B).

특이 항원에 의해 비만세포가 활성화되면 염증매개물질이 유리되고, 세포막으로부터 지질매개(lipid mediator)가 형성되며, 아울러 다양한 사이토카인이 분비된다. 이러한 비만세포의 탈과립화는 수 초 내에 이루어지며, 이때 이미 생성되어 저장되어 있던 다량의 염증매개물질이 세포 밖으로 나오게 된다. 이러한 염증매개물질들은 초기형 알레르기 반응을 일으키고 염증세포의 조직 내 침윤을 유도한다. 또한, 히스타민과 단백 분해효소인 chymase, tryptase 등과 TNF-α도 활성화된 비만세포에 의해 알레르기 반응 초기에 분비된다. 일단 비만세포가 활성화되면 세포막의 인지질(phospholipid)이나 지질체(lipid body)로부터 프로스타글란딘 D_2, 류코트리엔 B_4, 류코트리엔 C_4, 혈소판 활성인자 등의 지방매개물질이 만들어진다. 이러한 지방매개물질들은 알레르기 후기 반응에 관여하는 백혈구들의 유입과 활성화를 촉진시킨 후 분해되어 전구물질인 아라키돈산으로 분비된다. 비만세포로부터 유리된 이러한 화학매개물질들은 비강 내에서 혈관과 감각신경에 작용하여 가려움증, 수양성 콧물, 재채기, 코막힘 등의 증상을 유발한다.

4) 호염기구(Basophil)

호염기구는 형태학적으로 비만세포와 유사하고 IgE 수용체에 높은 친화성을 보인다. 히스타민과 사이토카인과 같은 염증매개체를 함유하고 있으며 이들의 분비를 통하여 알레르기 과민반응에 관여한다.

5) 호산구(Eosinophil)

골수에서 생성된 과립 백혈구인 호산구는 골수 내에서 분화와 성숙 과정을 거친 후 혈중으로 유리된다. 호산구는 알레르기 질환, 기생충 감염 등에서 방어 역할을 하는 것으로 알려져 있으며, 이들 질환에서는 호산구 증가증을 볼 수 있다. 이 외에 약물 반응, 악성종양 및 결체조직 질환 등에서도 호산구가 증가될 수 있다. 혈액 내 호산구의 정상 범위는 전체 백혈구의 약 1-3%이며, 정상 상태에서는 호산구가 1 ㎕당 400개를 넘지 않는다. 알레르기 비염의 경우 일반적으로 경증의 호산구 증가를 보이며, 계절의 변동과 증상의 정도에 따라 호산구 수의 변화를 동반한다.

호산구는 직경이 약 12-17 ㎛이며 보통 2개의 핵분엽을 갖고 있다. 세포질에는 약 100-200개의 경계가 명확한 굵은 과립이 있으며, 과립 한 개의 직경은 약 0.5-1.0 ㎛이다. Wright 염색에 의해 밝고 굵은 주홍색의 과립이 세포질 내에 관찰되는 것이 호산구의 특징이다(그림 3-5).

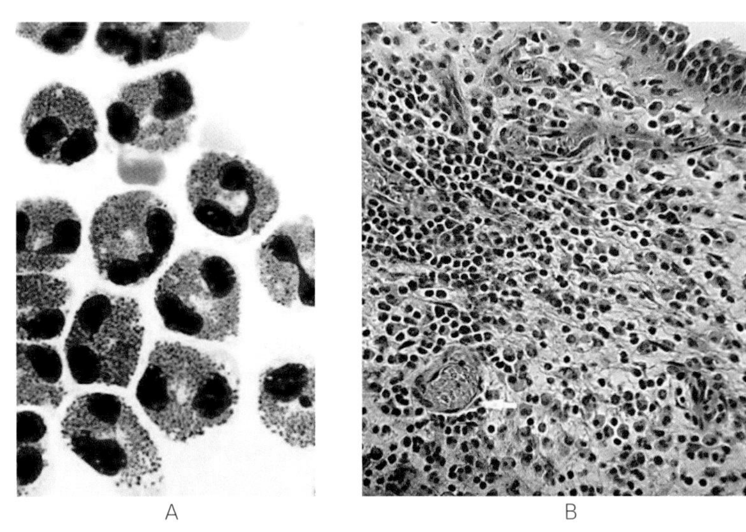

그림 3-5. 호산구의 형태(A)와 비점막 조직에서 호산구 염색(B)

호산구에서 생성되어 분비되는 매개체는 크게 호산구 과립 단백(eosinophil granule proteins), 지방매개물질(lipid mediators), 사이토카인 및 케모카인으로 나눌 수 있다. 호산구 과립 단백으로는 과립의 중심부에 있으며 아르기닌(arginine)이 풍부하여 염기성을 갖는 주 염기성 단백(major basic protein, MBP), 미생물 사멸과 비만세포 분비를 촉진시키는 호산구 과산화효소(eosinophil peroxidase, EPO), 기생충에 독성을 가지는 호산구 양이온 단백(eosinophil cationic protein, ECP), 그리고 호산구 유래 신경독(eosinophil-derived neurotoxin, EDN) 등이 있다. 주염기성 단백은 과립 중심부에 있으며, 나머지 단백은 주변 기질부에 존재한다. 활성화된 호산구는 5-리폭시나제의 작용으로 지질매개물질인 류코트리엔 C_4 (leukotriene, LTC_4)를 생성하고, 시클로옥시게나제(cycloxygenase)를 촉매로 하여 프로스타글란딘 E_1, E_2 (PGE_1, PGE_2), 트롬복산 B_2 (TXB_2)를 생산한다.

(1) 호산구의 조직 동원(recruitment) 및 체류(accumulation)

골수에서 생성된 호산구가 국소 염증부위까지 이동하기 위해서는 호산구의 선택적 혈관벽 접착, 점막하 조직으로의 이동, 화학주성, 국소조직 내 생존 경로 등이 작용하는데, 이를 위해 혈관벽의 접착분자와 사이토카인 등 여러 매개물질의 작용이 필요하다. 호산구가 혈관 밖으로 이동하기 위해서는 우선 혈류 속에서 혈관벽으로의 연변추향(margination)이 일어나야 하는데, selectin 등의 작용에 의해 매개된다. 다음 단계로는 혈관 내피세포 표면의 ICAM-1 (intercellular adhesion molecule-1) 등의 접착분자와 호산구 표면의 integrin과 같은 특이 당단백 분자의 발현으로 호산구와 혈관 내피세포 간의 실질적인 결합이 이루어진다. 혈관벽에 접착한 호산구는 경혈관이주(trans-endothelial migration) 과정을 통해 혈관 밖으로 나와 염증 부위로 이동하게 되는데, 이 과정에 IL-3, IL-5, IL-8, GM-CSF, 혈소판 활성인자, RANTES 등의 화학주성인자가 관여한다(그림 3-6).

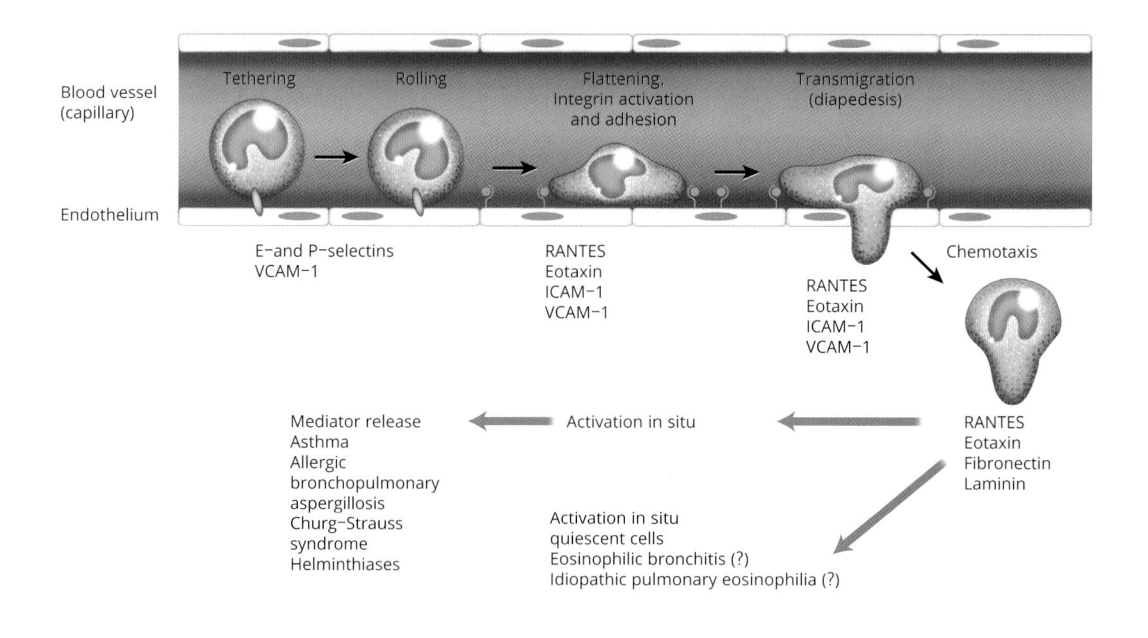

그림 3-6. 호산구의 조직 동원(recruitment) 및 체류(accumulation)

6) 선천성 면역세포(Innate lymphoid cell)와 선천성 사이토카인(Innate cytokine)

Innate lymphoid cell (ILC)은 최근 새롭게 발견된 세포군으로 T 세포 수용체(T cell receptor, TCR) 같은 항원 수용체가 없으면서 형태학적으로 림프구 계열 세포의 특징을 지닌 세포를 통칭한다. ILC는 림프구와 비슷한 모양으로 비슷한 역할을 하는 선천성 면역세포로 여러 신호에 즉각 반응하여 조직의 손상 복구, 조직의 항상성 유지 및 병원체로부터의 면역 반응 등 중요한 역할을 한다. 세분화하면 ① IL-15에 의존하여 interferon 등을 분비하여 표적 세포를 죽이는 NK 세포와 이와 유사한 ILC1 , ② Th17 세포의 전사인자인 RORgt+를 발현하여 IL-17과 IL-22를 생산할 수 있으며 주로 IL-7에 의해서 발생하는 RORgt+ ILC (ILC3), ③ RORgt+와 무관하게 Th2 사이토카인인 IL-5, IL-13을 생성하며 IL-7에 의해 영향을 받는 Type 2 ILC (ILC2)로 나눌 수 있다. 이 중 ILC2는 선천성 사이토카인인 IL-25, IL-33에 반응하여 Th2 사이토카인인 IL-5, IL-13을 생성하여 알레르기 반응을 촉진시키며(그림 3-7), 비용종에도 많이 존재한다고 알려져 있다.

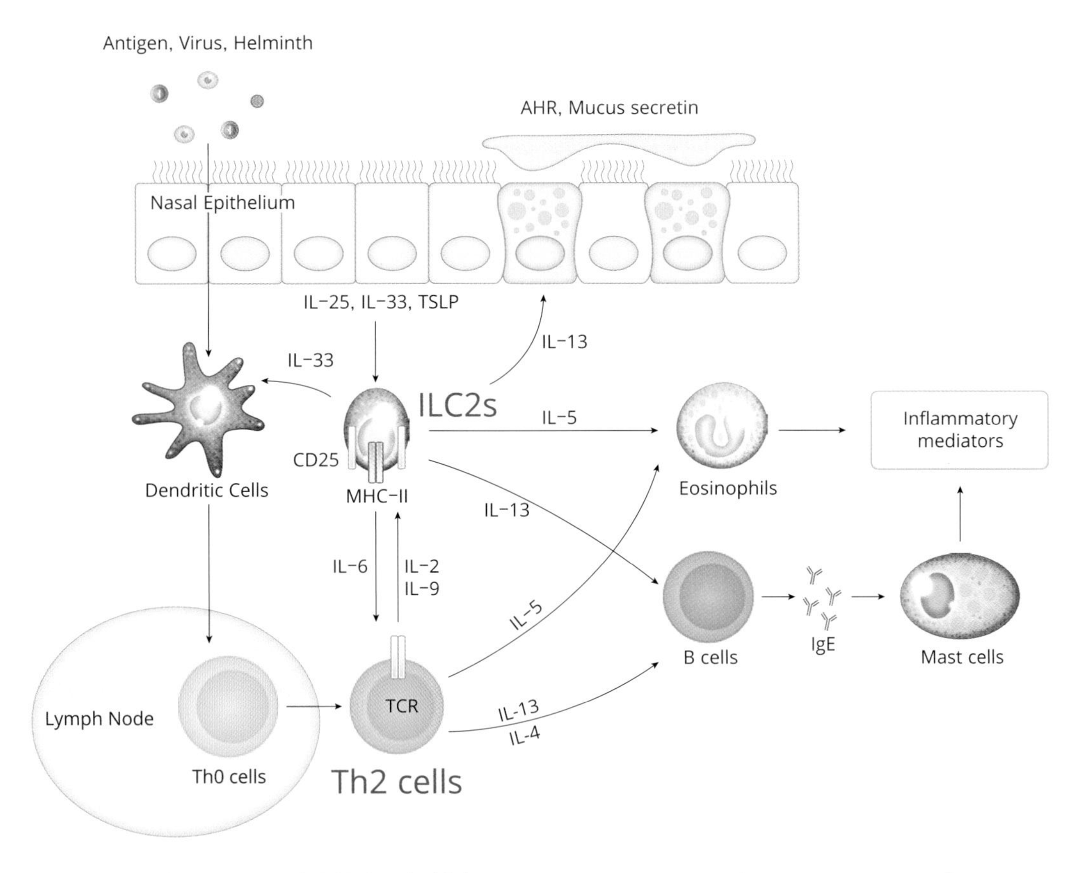

그림 3-7. ILC2 매개 알레르기 반응(ILC2-medicated allergic inflammatory response)

IL-25, IL-33, thymic stromal lymphopoietin (TSLP)은 선천성 사이토카인이라고 하는데 이는 T세포에서 분비되는 사이토카인들과는 달리 선천성면역세포(innate immune cell)인 상피세포에서 주로 분비되기 때문이다. 이들 사이토카인은 수지상세포(dendritic cell)의 보조자극분자(costimulatory molecule)인 OX40L 배위체를 증가시켜 강력한 Th2 반응을 유도한다. 상피세포가 손상되거나 TLR이 자극되면 상피세포에서는 TSLP, IL-25, IL-33을 생성하게 되고 이들은 감염에 대한 1차 방어역할을 하게 됨과 동시에 Th2 또는 Type 2 반응을 유도하여 알레르기 염증반응을 일으킴으로써 선천성면역계와 후천성면역계의 가교역할을 한다. 알레르기 비염과 천식 등 알레르기질환에서 IL-33 등의 선천성 사이토카인의 발현이 증가되어 있다고 보고되고 있으며, ILC2가 여러 알레르기 염증모델에서 IL-5와 IL-13의 주요 생산원임이 다양한 연구를 통하여 확인되고 있다. Type 2 사이토카인들은 천식을 포함한 알레르기질환의 여러 특징과 병태생리에 중요한 역할을 하기 때문에, IL-25, IL-33와 같은 선천성 사이토카인을 치료의 타겟으로 적용하려는 시도가 관심이 되고 있다.

References

- Asthma & Immunology American Academy of Allergy, The Allergy Report Vol. 2: Diseases of the Atopic Diathesis. AAAAI, 2000.
- Bjermer L, Westman M, Holmstrom M, Wickman C, The complex pathophysiology of allergic rhinitis: scientific rationale for the development of an alternative treatment option, Allergy Asthma Clin Immunol 2019;15:24
- Bousquet J, Anto JM, Bachert C, Baiardini I, Bosnic-Anticevich S, Canonica GW, *et al*. Allergic rhinitis, Nat Rev Dis Primers. 2020;6(1):95.
- Boyce JA. Eicosanoid mediators of mast cells: receptors, regulation of synthesis, and pathobiologic implications. Chem Immunol Allergy 2005;87:59-79.
- Frieri M. Inflammatory issues in allergic rhinitis and asthma. Allergy Asthma Proc 2005;26(3):163-9.
- Hsieh FH, Lam BK, Penrose JF, Austen KF, Boyce JA. T helper cell type 2 cytokines coordinately regulate immunoglobulin E-dependent cysteinyl leukotriene production by human cord blood-derived mast cells: profound induction of leukotriene C(4) synthase expression by interleukin 4. J Exp Med 2001;193(1):123-33.
- Jordan TR, Rasp G, Pfrogner E, Kramer MF. An approach of immunoneurological aspects in nasal allergic late phase. Allergy Asthma Proc 2005;26(5):382-90.
- Jutel M, Blaser K, Akdis CA. Histamine in allergic inflammation and immune modulation. Int Arch Allergy Immunol 2005;137(1):82-92.
- Lilly CM, Nakamura H, Kesselman H, Nagler-Anderson C, Asano K, Garcia-Zepeda EA, *et al*. Expression of eotaxin by human lung epithelial cells: induction by cytokines and inhibition by glucocorticoids. J Clin Invest 1997;99(7):1767-73.
- Liva GA, Karatzanis AD, Prokopakis EP. Review of rhinitis: classification, types, pathophysiology, J Clin Med 2021;10(14):3183.
- Ozu C, Pawankar R, Takizawa R, Yamagishi S, Yagi T. Regulation of mast cell migration into the allergic nasal epithelium by RANTES and not SCF. J Allergy Clin Immunol 2004;113(Supple 2):S28.

- Pawankar R, Okuda M, Yssel H, Okumura K, Ra C. Nasal mast cells in perennial allergic rhinitis exhibit increased expression of the Fc epsilonRI, CD40L, IL-4, and IL-13, and can induce IgE synthesis in B cells. J Clin Invest 1997;99(7):1492-9.
- Rondon C, Dona I, Lopez S, Campo P, Romero JJ, Torres MJ, *et al*. Seasonal idiopathic rhinitis with local inflammatory response and specific IgE in absence of systemic response. Allergy 2008;63(10):1352-8.
- Rondon C, Dona I, Torres MJ, Campo P, Blanca M. Evolution of patients with nonallergic rhinitis supports conversion to allergic rhinitis. J Allergy Clin Immunol 2009;123(5):1098-102.
- Rondon C, Romero JJ, Lopez S, Antunez C, Martin-Casanez E, Torres MJ, *et al*. Local IgE production and positive nasal provocation test in patients with persistent nonallergic rhinitis. J Allergy Clin Immunol 2007;119(4):899-905.
- Rothenberg ME, Hogan SP. The eosinophil. Annu Rev Immunol 2006;24:147-74.
- Small P, Keith PK, Kim H. Allergic rhinitis. Allergy Asthma Clin Immunol 2018;14(Suppl 2):51.
- Stier MT, Peebles RS. Innate lymphoid cells and allergic disease. Ann Allergy Asthma Immunol 2017;119(6):480-8.
- Wise SK, Lin SY, Toskala E, Orlandi RR, Akdis CA, Alt JA *et al*. International consensus statement on allergy and thinology: allergic rhinitis. Int Forum Allergy Rhinol 2018;8(2):108-352.
- Wheatley LM, Togias A. Clinical practice. Allergic rhinitis. N Engl J Med 2015;327(5):455-63.
- 대한이비인후과학회, 이비인후과학 5. 면역학과 알레르기, 군자출판사 2019, 91-119.

IV

알레르기 비염의 검사 및 진단법

IV

알레르기 비염의 검사 및 진단법

원저자: 구수권, 박성국, 배우용, 유성근, 조규섭
개정판: 송기재

1. 병력 청취

1) 증상

전형적인 증상은 코막힘, 재채기, 수양성 비루, 코와 눈의 가려움이며, 이 외에 수명(photophobia), 유루(lacrimation), 전두통, 목 안의 가려움 등이 있다. 이들 증상은 계절성의 경우(특히 화분증) 항원 노출 직후에, 통년성의 경우 대부분 아침 일찍 발작성으로 일어난다. 증상은 주로 가려움증, 재채기, 수양성 비루 및 코막힘 순으로 나타난다. 코막힘의 정도는 다양하며 비중격 만곡, 비용종 등 다른 비강 내 질환이 동반되면 증상이 심해진다. 비루는 양과 성상이 다양하며 대개 수양성이지만 점액성인 경우도 있고 2차 감염에 의해 점액농성 비루를 보이기도 한다. 이 외에도 비음, 구호흡, 코골이, 수면장애, 후각 및 미각 감퇴, 만성 기침이 동반될 수 있다. 흔한 동반질환으로 부비동 개구부 및 중이관의 만성 부종으로 부비동염과 중이염이 유발될 수 있다.

2) 주변 환경

실내외 환경에 대한 문진이 중요하며 애완동물이 있는지, 가족 중 흡연자가 있는지, 취미가 무엇인지, 집 안에 카펫 등이 있는지, 냉/난방은 어떻게 하는지, 곰팡이가 있는지 등을 문진해야 한다.

3) 가족력 및 이전의 치료 경력

알레르기 비염 환자의 약 40%는 3촌 이내의 가까운 가족에게 알레르기 질환의 가족력이 있으므로 가족력에 대한 문진이 중요하고 이전 알레르기 검사, 면역요법, 약물치료의 경험 및 효과에 대한 문진도 필요하다.

2. 비경검사를 포함한 신체검사

1) 비강 내 소견

계절성의 경우 하비갑개 점막이 창백 또는 붉은 색으로 종창되어 있으나(그림 4-1) 증상을 보이지 않을 때는 거의 정상적인 소견을 보이는 예도 있다. 통년성의 경우 비강 내 소견은 매우 다양하며 단순히 건조해 보일 수도 있고 심한 부종과 분비물, 비용 등으로 인해 비강이 완전히 막혀 있는 경우도 있다. 하비

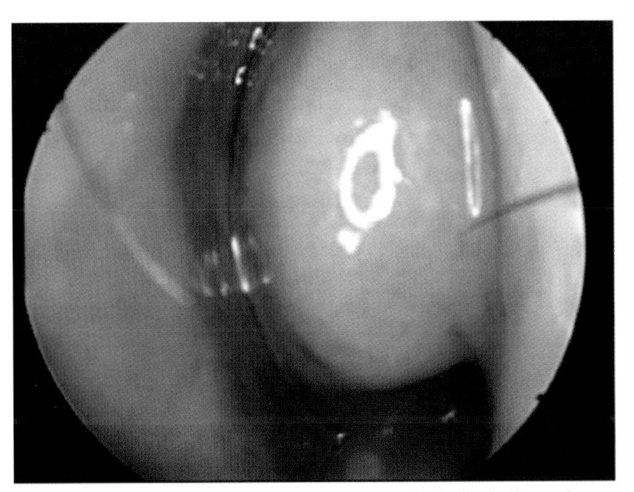

그림 4-1. 수양성 비루 및 하비갑개의 비대 소견

갑개가 발적되어 있는 경우 담배연기에의 노출, 국소혈관수축제 과용, 음식 알레르기 등과 구별하여야 한다. 또한 환자의 비루에 포함된 염증매개물질들이 아데노이드 증식을 유발할 수 있으므로, 아데노이드 부위를 확인하여야 한다.

2) 흔히 관찰되는 신체검사 소견

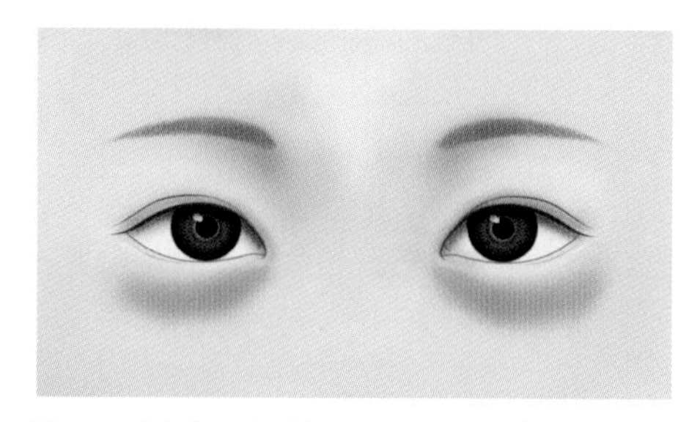

그림 4-2. 알레르기 빛(allergic shiners). 하안검 피부의 변색으로, 만성 코 충혈로 인한 피부 정맥울혈과 헤모시데린(hemosiderin) 침착의 결과로 생각된다.

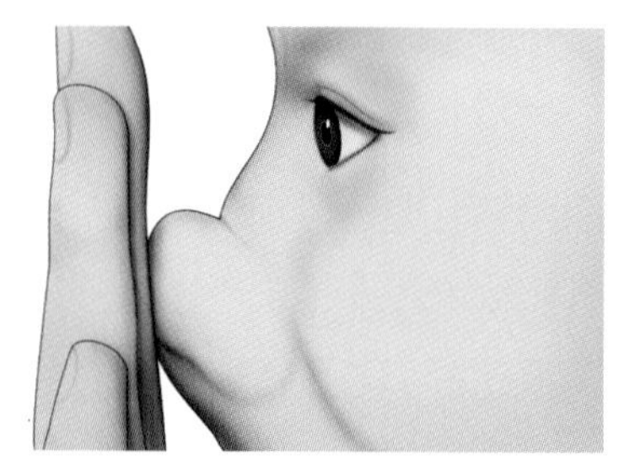

그림 4-3. 알레르기 경례(allergic salute). 코 가려움증과 코막힘을 해소하기 위해 손바닥으로 콧구멍을 위로 미는 습관이며 소아에서 흔히 관찰된다.

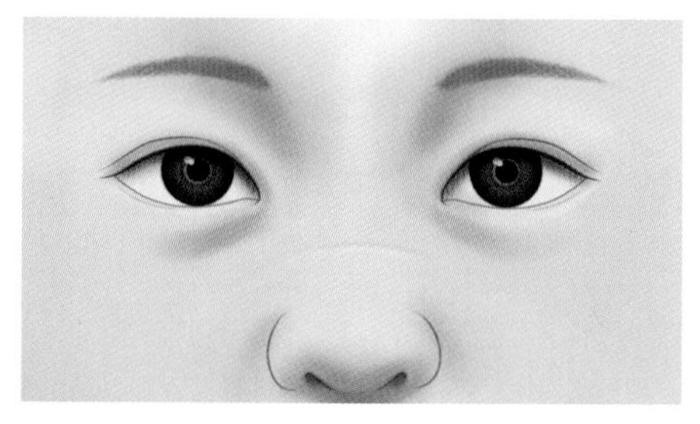

그림 4-4. 알레르기 주름(allergic crease). 코를 계속 문지르는 행동으로 인해 생긴 콧등의 가로주름이다.

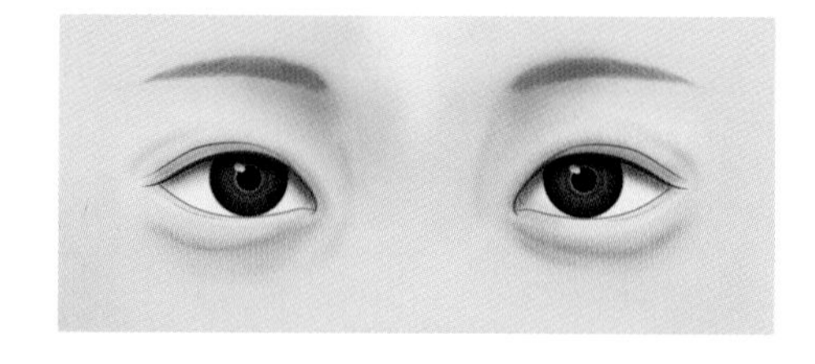

그림 4-5. Dennie-Morgan 선(Dennie-Morgan or Dennie's line). 하안검 바로 밑부분의 주름으로 코의 혈관 충혈로 안구주위 조직의 뮐러근(Müller muscle)의 저산소 경련을 유도하여 생긴다.

3. 실험실 검사(In vitro test)

실험실 검사는 환자의 혈액을 채취해 특정 항원에 대한 특이 IgE를 측정하는 검사로 한번의 채혈로 검사가 가능하다는 장점이 있다. 또한 피부반응검사의 결과에 영향을 미치는 약물이나 피부 상태에 대한 고려가 필요 없다. 그러나 진단에 필요한 검사 장비가 필요하며, 피부반응검사처럼 즉시 반응을 확인할 수 없고, 민감도가 떨어진다.

1) 혈청 총 IgE

알레르기 질환의 기초적인 검사 방법이나, 알레르기 질환 외에 다수의 비알레르기 질환에서도 증가하므로, 혈청 총 IgE 단독으로는 진단적인 가치가 높지 않다.

2) 혈청 특이 IgE

항원 특이 IgE를 측정하는 방법으로는 RAST (radioallergosorbent test), MAST (multiple allergen simultaneous test) 및 CAP 시스템이 있다. 각각의 원리 및 장단점을 정리하면 다음과 같다(표 4-1).

표 4-1. RAST, MAST, CAP의 원리 및 장단점

	RAST	MAST	CAP
원리	IgE 항체에 붙은 방사선 동위원소로 표지된 IgG 항체의 방사능을 측정	얇은 실 위에 항원이 부착	cellulose 중합체의 무수한 기포 방울 내부에 항원이 부착
특징/장단점	방사선동위원소 사용 장비가 고가 한 번에 한 가지 항원에 대해서만 검사	일반적으로 사용되는 방법 한 번에 여러 가지 항원을 검사	MAST에 비해 훨씬 정량적인 측정이 가능

3) 비즙 내 항원 특이 IgE 검사

비즙 내 항원 특이 IgE 검사는 민감도가 22-40% 정도로 매우 낮으며, 임상에서 수행하기 어렵다는 단점이 있다.

4. 생체검사(In vivo test)

1) 피부반응검사

피부반응검사는 알레르기 질환의 원인 항원을 확인하는 데 가장 기본적인 진단 도구로 사용되고 있다. 알레르기 질환의 원인으로 짐작되는 항원 추출물을 피부에 주입하면 피부에 존재하는 비만세포 표면의 IgE 항체와 결합하여 비만세포를 활성화하고 과립에서 유리된 히스타민 등의 화학매개물질이 팽진(wheal)과 홍반(erythema)을 생성한다. 침습적이나, 경제적이고 진단적 가치가 높은 검사법으로 피부단자검사(skin prick test)와 피내검사(intradermal test) 두 가지 종류가 있다(그림 4-6).

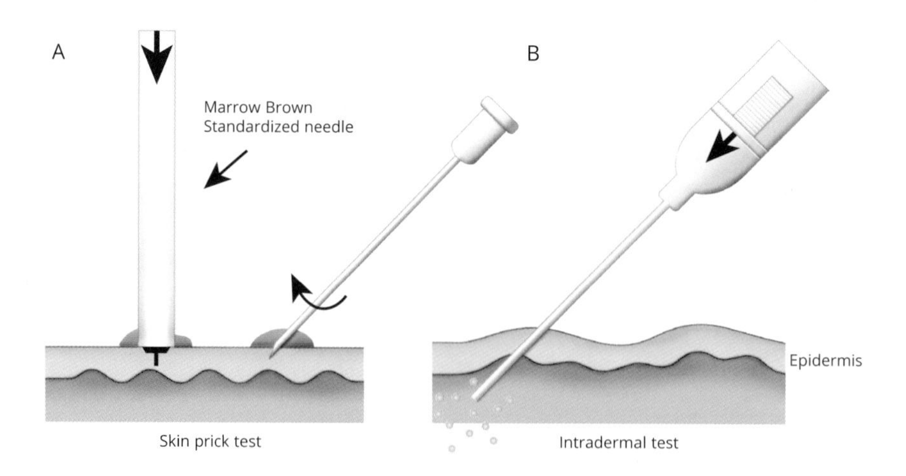

그림 4-6. 피부단자검사(skin prick test) 및 피내검사 방법(intradermal test)

소파검사는 항원을 점적한 뒤 3-5mm 크기로 피부를 긁고 15-20분 뒤 판독하는 방법인데, 단자검사보다 덜 예민하고 시간은 더 소요되므로 현재에는 거의 사용하지 않고 있다.

(1) 피부단자검사 방법

① 환자의 등이나 팔의 전박부를 70% 알코올 솜으로 닦고 건조시킨다.

② 항원 용액, 양성 대조액(0.1-1% 히스타민), 음성 대조액(0.9% 식염수 혹은 phosphate buffered saline)을 한 방울씩 점적한다.

(주의) 항원 용액과 용액 사이는 최소한 2-3 cm 간격을 유지하여 위양성 반응을 막아야 한다.

③ 단자를 이용해 표피 표면을 살짝 들어올리듯이 하여 출혈 없이 표피 표면에 아주 작은 상처를 내어 항원이 표피 내로 침투하도록 한다(그림 4-7).

(주의) 단자는 한 항원에 한 개를 사용하는 것이 좋다.

(주의) 너무 깊이 찔러 피가 비치거나 통증을 유발하지 않도록 주의해야 한다.

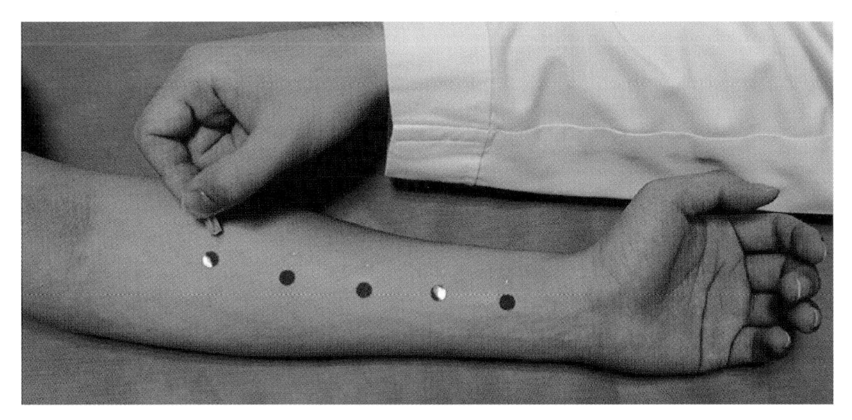

그림 4-7. 피부단자검사 시행방법

④ 1분 후 종이 휴지를 이용하여 시약을 닦아낸다.

⑤ 15-20분 후 팽진과 홍반을 측정하여 판독한다.

표준화가 되어 있는 항원액을 사용하는 것이 좋은데 각 항원의 역가(potency)에 따라 사용하는 농도가 다르지만 보통 10,000-30,000 AU (allergy unit)/mL 정도의 농도로 희석되어 있다. 피부단자검사의 전신 부작용이 보고는 되었지만 안전한 것으로 되어 있으며, 사망사고의 보고는 아직 없다.

(2) 피내검사 방법

① 항원액을 26-27 게이지 바늘로 피내주사한다. 0.02-0.05 mL를 주사하여 직경 2-3 mm의 작은 수포를 만들면 된다.
② 피부단자시험과 마찬가지로 15-20분 후에 판독한다.

피내검사로 특히 진단적 도움을 받을 수 있는 경우는 다음과 같다.
① 병력상 의심스러운 항원임에도 불구하고 피부단자시험에 음성이거나 약양성을 보인 경우
② 양성 반응을 보인 항원에 대한 피부반응 역치(skin threshold)를 구하고자 하는 경우
③ 알레르기 면역요법의 종점 결정(end point titration)
④ 약물 알레르기 진단

피내검사 시 주의사항

(1) 주사 전 반드시 공기방울을 주의 깊게 제거해서 공기주머니 반응(splash reaction)이 나타나지 않도록 한다.
(2) 주사할 때 표피 밑에 있는 모세혈관은 터지지 않게 해야 한다.
(3) 피내검사 시에도 시약의 종류가 바뀔 때마다 주사바늘을 바꾸어야 한다.
(4) 일반적으로 피부단자시험을 한 농축된 항원의 역가에서 100배 혹은 1,000배로 희석한 농도를 피내시험의 시작 농도로 사용한다. 표준화된 항원액은 보통 10,000 AU/mL이므로 피내시험을 시작하는 항원 농도는 10-100 AU 사이가 적당하다. 피내시험은 보다 예민한 검사법이지만 나타나는 신체 반응도 훨씬 심할 수 있다. 단자시험과 비교해 보면 위양성률이 높고 민감도와 재현성은 높으나 특이도는 떨어지며 임상증상과의 연관성도 낮아 진단 목적으로는 많이 사용하지 않고 있다.
(5) 피부에 45도 각도로 바늘의 경사면이 피부 쪽을 향하게 하고, 경사면 전체가 다 피부 안으로 들어가게 한 후 시약을 삽입해야 한다.

(6) 사망 사고가 보고된 바 있으므로 간호사나 기사가 피내시험을 할 경우에는 의사가 반드시 옆에 있어야 하고, 검사 후 약 20분 정도 병원에서 머문 후에 귀가하는 것이 좋다.

(7) 특히 베타 차단제나 angiotensin-converting enzyme (ACE) 억제제, monoamine oxidase 억제제를 복용하는 고위험 환자의 경우 전신반응의 위험성이 증가할 수 있으므로 더욱 주의해야 한다.

(8) 전신 부작용이 일어났을 경우에는 검사한 팔목 윗부분에 지혈대를 묶고 1:1,000 에피네프린을 반대쪽 팔에 피하주사한다.

(3) 양성 대조액과 음성 대조액

양성 대조액은 피부단자검사의 경우에는 히스타민 농도가 1-10 mg/mL(0.1-1.0%, 5.43-54.3 mmol/L)가 되는 50% 글리세린 용액을 사용하며 피내검사의 경우에는 0.01 mg/mL(0.001%, 0.0543 mmol/L)의 히스타민 용액을 사용한다. 음성 대조액으로는 생리식염수를 사용한다. 양성 대조약은 약물이나 질병, 또는 피부 반응 자체가 미약한 사람이나 시술상의 문제로 위음성이 나오는 경우를 파악하는 상대 지표이며 음성 대조액은 피부묘기증의 경우와 같이 면역학적인 자극 이외의 비특이적인 자극에도 강한 피부 반응을 보이는 경우에 이를 객관적으로 확인하는 데 도움이 된다.

(4) 검사 항원

피부반응검사는 여러 가지 변수에 따라 그 결과에 오차가 생길 수 있는데, 가장 중요한 것은 항원액의 관리이다. 항원의 양이 적거나 보존기간이 지나 역가가 떨어지면 위음성 반응을 보일 수 있기 때문에 표준화된 검사 항원을 사용하는 것이 중요하다. 현재 흡입항원이나 식품항원의 대부분은 상업용 제품이 시판되고 있어서 필요에 따라 주문해서 사용할 수 있다. 그러나 일부 특수 항원은 실험실에서 직접 만들어서 필요할 때마다 사용하는 경우가 있다. 꽃가루나 곰팡이류는 혼합액을 사용하는 것도 좋은 방법이다.

- 집먼지 진드기(D. pteronyssinus, D. farinae)
- 저장진드기(Tyrophagus)
- 동물비듬(cat fur, dog hair)
- 수목화분류(alder, birch, hazel, oak, beech, poplar, willow, ash)

- 잡초화분류(mugwort, ragweed, Japanese hop)
- 목초화분류(bermuda grass, orchard grass, timothy grass, rye grass, blue meadow grass)
- 바퀴벌레
- 곰팡이류(Alternaria spp., Aspergillus fumigatus, Cladosporium spp., Fusarium spp., Penicillium spp., Trichophyton spp.)

(5) 피부반응검사의 판독

피부반응검사는 그 반응이 최고조에 이를 때 판독하는 것이 좋다. 초기반응은 히스타민이 분비된 지 8-10분 후, 비만세포 탈과립 후 10-15분, 항원 노출 후 15-20분 후에 최고조가 된다. 후기 반응은 정확한 중요성이 알려지지 않아 기록하지 않는다. 크기는 mm로 측정한다. 보통의 반응은 그 모양이 불규칙하거나 난원형이기 때문에 팽진과 홍반의 가장 긴 지름을 측정하고 그 중앙에서 수직방향의 지름도 측정하여 평균으로 반응의 크기를 표시한다(그림 4-8).

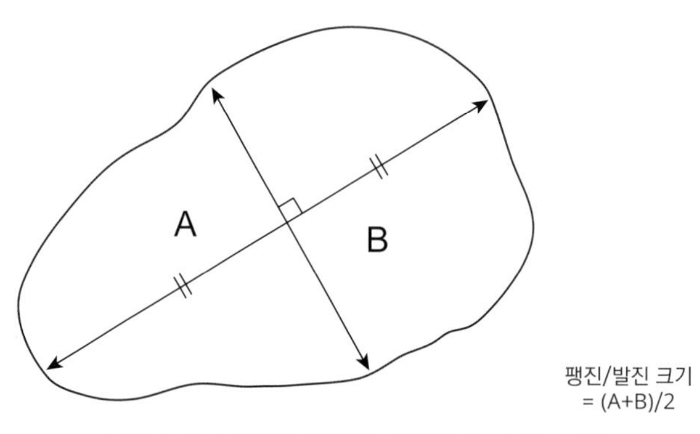

그림 4-8. 팽진 및 홍반의 크기를 계산하는 방법

검사 결과는 팽진의 크기에 따라서 등급을 나누기도 하고 항원에 대한 팽진 반응과 히스타민에 대한 팽진 반응의 비(A/H 비)를 구해서 0부터 4+까지 반정량적으로 등급을 부여하는 방법을 쓰기도 한다. 동일한 항원으로 동일인에게 피부반응검사를 시행하더라도 상황에 따라서 반응이 서로 다르게 나타날 수 있으므로 항원 단독에 의하여 나타나는 팽진과 발적의 크기만으로 판정하는 것보다는 히스타민 양성 대조액과 항원액의 반응을 비교하여 판정하는 것이 더 바람직하다.

(6) 피부반응검사 결과의 해석

피부반응검사에서 양성 반응이 나왔다고 해서 그 환자가 임상적인 알레르기 환자라고 말할 수는 없다. 항원 특이 IgE 항체를 보유하고 있으면서도 알레르기 질환이 없는 무증상 감작군(asymptomatic sensitizer)이 상당히 있기 때문에 피부반응검사 양성 반응은 항원에 대한 특이 IgE 항체를 보유하고 있음을 의미할 뿐이지 알레르기 질환을 가지고 있음을 의미하는 것은 아니다. 그러나 어릴 때 흡입항원과 식품항원에 감작된 상태가 재발성 천명 환아에서 천식으로 이어질 수 있는 중요한 인자로 밝혀졌기 때문에, 특히 소아에서는 피부반응검사에 양성을 보이는 무증상 감작군이 향후 임상 증상을 나타낼 수 있다는 것을 염두에 두어야 한다. 식품 알레르기에서는 피부반응검사의 진단적 가치가 호흡기 알레르기에 비해 떨어진다. 벌독(venom)이나 라텍스 알레르기는 피부반응검사로 확인이 가능하나 약물 알레르기는 페니실린, 인슐린, chymopapain, 근육이완제 등 일부 약제를 제외하고는 피부반응검사의 임상적 의미가 크지 않다.

위양성 및 위음성 반응을 보일 수 있는 경우는 각각 다음과 같다.

위양성

① 피부묘기증

② 자극물질(irritant)에 대한 반응

③ 옆에 있는 강한 반응을 보이는 곳으로부터 오는 비특이적 증폭 반응

위음성

① 항원 역가가 낮은 추출물을 사용하거나 빠른 항원 역가 소실

② 알레르기 반응을 방해하는 약물 사용

③ 피부 반응을 약화시키는 질환을 앓고 있는 경우

④ 피부 반응성이 떨어지는 영아와 노인의 경우

⑤ 부적절한 술기 등

피부 반응성이 떨어진 환자에서는 양성 대조 용액을 사용하면 위음성 반응을 어느 정도 교정할 수 있다. 경우에 따라서는 피부단자검사에 음성 반응을 보인 환자에게서 피내검사를 실시하여 진단에 도움을 받을 수 있다.

(7) 피부반응검사에 영향을 미치는 요인

많은 인자들이 피부반응검사의 결과에 영향을 미칠 수 있지만 항원의 질적인 문제가 중요하므로 이에 대한 적절한 관리가 무엇보다도 중요하다고 할 수 있다. 그 외의 요인을 정리하면 다음과 같다(표 4-2).

표 4-2. 피부반응검사에 영향을 미치는 요인

요인	설명
검사 부위	등(back)이 팔의 전박부(forearm)보다 민감하며, 허리 쪽보다는 중간이나 위쪽에서 반응이 높게 나타난다. 팔에서는 손목의 반응도가 낮고 전주와(antecubital fossa) 쪽의 반응도가 높다.
나이	팽진의 크기는 영아기부터 성인까지 증가하며 50세경부터 감소하기 시작한다. 식품항원의 경우 3개월 정도의 영아에서부터 양성 반응이 나타나기 시작하며, 흡입 항원은 2-4세경부터 양성을 나타내기 시작한다.
일중 변동/계절	아침에 반응도가 낮고 늦은 저녁에 높게 나타나지만 임상적인 의미는 별로 없다. 꽃가루 알레르기의 경우 꽃가루가 날리는 계절 직후 피부 반응도가 증가되었다가 다음 꽃가루 계절까지 서서히 감소하는 경향을 보인다.
질병	피부검사 반응도를 감소시키는 질병 : 습진, 만성신부전, 일부 종양, 척추 손상 및 당뇨병성 신경병증
약물	* **항히스타민제** 제1형 항히스타민제: 24시간 정도 피부반응 억제 ketotitlen, cetirizine, ebastine, loratadine, mizolastine, fexotenadine, terfenadine 등: 3-10일 정도 억제 * **스테로이드제** 경구/흡입 단기간 투여(1주일 이내): 영향이 없음 장기간 투여 시 피부반응도 감소 국소용 스테로이드제: 즉시 또는 지연반응 모두 억제 * **류코트리엔 수용체 길항제:** 영향을 미치지 않음 * **imipramine, phenothiazine, tranquilizer:** 수 주까지 피부반응 억제 * **Theophylline, B-항진제:** 의미있는 억제 효과는 없음 - formoterol, salmeterol: 피부반응 감소 - propranolol: 피부반응도 증가 * **기타** - dopamine, clonidine: 피부반응 억제 - ACE 억제제: 피부반응도 증가 - 면역요법: 피부반응도 감소

(8) 피부반응검사의 한계점

(1) 항히스타민제와 같은 약물의 영향을 받는다.

(2) 소아의 경우 여러 차례의 단자검사를 잘 견뎌내지 못한다.

(3) 습진이나 피부묘기증과 같은 피부과적인 문제가 있는 경우 시행하기 어렵다.

(4) 항원의 역가가 잘 유지되어야 한다.

(5) 전신 반응이 일어날 수 있다.

2) 유발검사

유발검사에는 원인 항원을 투여하는 항원유발검사와 비특이적 과반응성을 관찰하기 위한 히스타민 유발 검사가 있다. 항원유발검사는 피부반응검사에서 양성반응을 보인 항원을 선정하여 항원액을 묻힌 여과지 원판(filter paper disc)을 코점막에 붙이거나(paper disc 법) 일정량을 분무하는 검사(분무법)이다. 비강 내 항원투여 전후 visual analogue scale (VAS) 등을 이용하여 주관적 증상 악화 정도를, 비강통기도검사 및 음향비강통기도 검사 등을 사용하여 비강 내 저항 증가, 부피 및 단면적 감소 등 비강 내 객관적 변화를 측정한다. 비강유발검사는 그 유용성에도 불구하고 연구목적 외에 임상에서 진료 목적으로는 많이 쓰이지 못하고 있는 실정이다. 그것은 지금까지 항원의 종류 및 분사량, 분사 방법 및 농도, 실제적인 검사의 방법 및 평가기준 등에 대해 지금까지 통일된 기준이 없었기 때문이다. 유럽알레르기학회(European academy of allergy and clinical immunology)에서는 이러한 문제를 보완하고자 비강유발검사에 대한 표준화 권고안을 출판하였다. 이 권고안에 따르면, 환자를 검사실 환경에 충분히 적응시킨 후, 0.05 mL씩 하비갑개 및 중비갑개를 향해 각 1차례, 총 2회의 비강 내 분사를 하고 10분 후 주관적(Subjective; VAS 척도 등 증상 변화량), 객관적 척도(Objective; 비강저항, 단면적 및 부피 변화 등 객관적 수치의 변화량)를 측정한다. 이 객관적 척도와 주관적 척도를 변화량에 따라 각각 '명백히 양성(clearly positive)' 혹은 '약양성(moderately positive)'으로 분류한다(표 4-3). 먼저 항원을 포함하지 않은 용액의 대조군 검사를 시행하고 음성으로 확인되면, 항원을 포함한 용액의 비강유발검사를 시행한다.

VAS의 경우 총 100 mm 기준으로 0-30 mm를 경증, 31-70 mm 중등도증, 71-100 mm 중증으로 표기하여 측정한다.

주관적 척도 혹은 객관적 척도 중 어느 하나라도 '명백히 양성' 기준에 부합하거나, 혹은 두 개의 척도가 모두 '약양성' 기준에 부합할 때 비강유발검사 결과를 최종적으로 '양성'이라고 판정한다.

표 4-3. 비강유발검사: '명백히 양성' 및 '약양성' 기준

방법	명백히 양성	약양성
주관적 척도		
Visual analog scale (VAS)	55 mm 이상 증가	23 mm 이상 증가
Total nasal symptom score (TNSS)	5점 이상 증가	3점 이상 증가
객관적 방법		
Acoustic rhinometry	CSA-2 40% 이상 감소	양측 2-6 cm^3 합산 27% 이상 감소
Peak nasal inspiratory flow (PNIF)	유량 40% 이상 감소	유량 20% 이상 감소

References

- Augé J, Vent J, Agache J, Airaksinen L, Mösges R. EAACI position paper on the standardization of nasal allergen challenges. Allergy 2018;73(8):1597-1608.
- Bang JH, Kim YJ, Shin HS, Lee BJ. Clinical analysis of allergic rhinitis in Seoul. J Rhinol 1996;3(2):130-4.
- Demoly P, Michel FB, Bousquet J. In vivo method for study of allergy skin test, techniques, and interpretation, In: Allergy Principles and Practices. 5th ed. Missouri: Mosby Co, 1998;430-9.
- Franzese C. Diagnosis of inhalant allergies: patient history and testing. Otolayngol Clin N Am 2011;44(3):611-23.
- Haydon RC. Allergic rhinitis-current approaches to skin and in vitro testing. Otolaryngol Clin North Am 2008;41(2):331-46.
- Nelson HS, Knoetzer J, Bucher B. Effect of distance between sites and region of the body on results of skin prick tests. J Allergy Clin Immunol 1996;97(2):596-601.
- Skassa-Brociek W, Manderscheid JC, Michel FB, Bousquet J. Skin test reactivity to histamine from infancy to old age. J Allergy Clin Immunol 1987;80(5):711-6.
- Vichyanond P, Nelson HS. Circadian variation of skin reactivity and allergy skin tests. J Allergy Clin Immunol 1989;83(6):1101-6.
- Woodbury K, Ferguson BJ. Physical findings in allergy. Otolayngol Clin N Am 2011;44(3):603-10.
- Yman L. Standardization of IgE antibody assays. J Int Fed Clin Chem 1991;3(5):198-203.

V

알레르기 비염의 회피요법

V

알레르기 비염의 회피요법

원저자: 임상철, 김종영, 박병철, 박희완, 이동훈, 최지윤
개정판: 홍석진

알레르기 비염의 증상은 항원이 없어지면 사라질 수도 있지만 실생활에서 이러한 항원들로부터 완전히 회피한다는 것은 불가능하다. 하지만 회피요법으로 알레르기 증상을 완화시키고 약물의 사용량을 감소시킬 수 있으며, 임신 중이나 소아에서 항원 노출을 줄임으로써 알레르기질환의 발병률이 감소될 수 있다는 점에서 환경의 조절은 중요하다(표 5-1). 따라서 효과적인 환경조절을 위해서는 환자가 감작된 항원들을 찾아서 그에 맞는 환경조절을 해야 하기 때문에 피부반응검사나 혈액검사 등 항원검사가 선행되어야 한다.

1. 실내항원

주요 항원은 집먼지 진드기, 개, 고양이 등 동물항원, 바퀴벌레 등이 있으며 실내생활이 많아짐에 따라 다수의 항원에 노출되기 쉽다. 단독 회피요법보다는 복합 회피요법이 더욱 효과가 있는 것으로 알려져 있다.

1) 집먼지 진드기

집먼지와 집먼지 진드기(Dermatophagoides pteronyssinus, Dermatophagoides farinae)는 가장 흔한 실내항원이다. 따라서 실내를 잘 청소하고 먼지를 닦아내서 청결히 유지하는 것이 기본이다. 집먼지 진드기는 공기로부터 수분을 흡수하기 때문에 상대습도 50% 이상에서 잘 번식한다. 사람과 같은 환경에서 살아가며 사람에서 탈락된 털이나 피부세포 그리고 먼지에 있는 유기물질을 먹고 산다. 한편, 고지대나 건조하고 찬 공기에서는 번식이 억제된다. 집먼지 진드기의 본체와 배설물이 주된 항원으로 공기 중으로 전파된다. 집먼지 진드기의 경우, 입자의 직경이 10 ㎛ 이상이어서 공기 중에서는 짧은 기간 밖에 분포하지 않으므로 공기여과로는 제거하기 어렵다. 주된 공급원은 매트리스, 베개, 깔개이불, 카펫, 천을 씌운 가구, 솜이 든 장난감, 직물 커튼 등이다. 집먼지 진드기 비투과성 커버는 대개는 수입품이며, 직조방법에 따라 그 효능이 다를 수 있기 때문에 구입할 때 주의를 요한다. 일반적으로 직물의 pore(공)의 크기가 2-10 ㎛이면 집먼지 진드기가 통과할 수 없고 고양이 항원의 경우는 2 ㎛ 이하여야 통과할 수 없다. Pore의 크기 외에 직조 형태도 매우 중요한데 woven cover, plastic cover, tightly woven cover, cotton based cover 중에서 tightly woven microfiber cover와 plastic cover가 가장 좋다고 한다. 집먼지 진드기 회피 요법은 하나의 회피조치만으로는 큰 의미가 없으며 여러 회피요법을 병행해야 효과를 기대할 수 있다. 집먼지 진드기 회피요법으로는 알레르기 비염의 증상을 완화할 수 없다는 보고들도 있지만 최근 과거 연구 방법의 오류를 지적하는 논문들이 발표되고 있으며 또 일반적인 개념과 달라 이론의 여지가 있다(표 5-1).

2) 동물항원

반려동물 알레르기 항원을 회피하는 가장 효과적인 방법은 반려동물을 키우지 않는 것이지만, 어려운 경우에는 동물항원에 노출되는 것을 최소화한다.

(1) 고양이와 개

고양이 항원은 고양이의 피지선에서 생산되며 피부와 털에 존재하고 그 외 소변, 땀, 타액에도 있다. 수컷이 암컷보다 항원성이 높다. 고양이 항원은 진드기 항원과 달리 직경 2.5 ㎛ 이하의 작은 입자이므로 장시간 동안 공기 중에 남아있어 흡입하면 증상을 일으키기 쉽다. 표면에 잘 붙는 성질이 있어 천으로 된 가구, 카펫, 침구류에 고농도로 존재할 뿐만 아니라 매끈한 바닥에도 붙어있다. 공기에 의해서 전파될 뿐만 아니라 사람에 의해서도 전파되며 심지어 고양이가 없는 집에서도 동네에서 돌아다니는 고양이 때문에 발견되고 증상이 발생할 수 있다. 고양이를 집에서 없애도 고양이 항원은 6주 이상 존재하고 항원이 감소하기까지는 6개월이 걸릴 수 있다.

개 항원은 고양이 항원보다는 항원성이 덜하다. 개에 알레르기가 있는 사람은 다른 항원(꽃가루, 곰팡이, 먼지, 고양이 등)에도 알레르기가 있는 경우가 많다.

공기 필터 사용은 반려동물 알레르겐의 농도를 낮추지 못하였고 비염 증상이 호전되지 않았다는 연구가 있다.

고양이털 알레르기 비염 환자를 대상으로 시행한 무작위 대조군 연구에서 벽과 바닥을 청소하고, 카펫을 제거하며, 매주 빨래를 하고, 집먼지 진드기 비투과성 커버를 사용하는 등과 함께 고양이를 일주일에 두 번씩 씻기고 침실에 들어오지 못하게 하는 방법을 이용하여 환경관리를 하였을 때 고양이 알레르겐 농도가 감소되고 비염 증상이 호전되었다는 보고가 있다.

(2) 기타 동물 항원

닭, 오리, 거위 비듬이 주요항원이며, 새의 깃털에서 나온다. 가정에서는 주로 침구류와 옷에 의해 노출된다.

최근 설치류를 애완동물로 많이 키우고 있어 주요항원으로 대두되고 있으며 특히 실험실에서 일하는 사람에서 알레르기가 발생할 수 있다. 설치류의 항원은 소변에 존재하며 쉽게 연무화(aerosolized)하며, 10 ㎛ 이하의 작은 입자이기 때문에 공기 중에 분포한다.

동물을 만진 후에는 손 씻기를 잘해야 하며, 동물은 실외에서 키우는 것이 바람직하다.

3) 곰팡이

알레르기를 일으키는 흔한 항원은 Alternaria alternata, Cladosporium herbarum, Aspergillus fumigatus, Penicillium notatum 등이 있다. 곰팡이 포자는 창문이나 건물의 틈을 통해 실내로 들어올 수 있다. 습기가 많은 곳 즉, 지하실, 주방, 목욕탕, 세탁장에 주로 있으며, 그 외 실내식물, 헌책, 신문지, 가구, 가습기, 쓰레기통, 음식 저장소, 침구류 등에 있다. 다양한 회피방법이 있고 천식 증상의 호전을 보인다는 연구는 있으나 비염 증상에 대한 효과는 분명치 않다. 습기제거로 곰팡이의 번식을 억제하고 곰팡이 표백제로 제거한다. 제습기가 도움이 될 수 있다.

4) 바퀴벌레

미국 바퀴와 독일 바퀴가 주종을 이루며 소아에서 천식과 비염의 중요 인자이다. 음식이나 물이 있는 곳에 무리지어 있고 죽은 바퀴벌레의 신체 일부가 분해되어 공기 중으로 퍼지면서 전파된다. 하지만 항원의 입자가 크기 때문에(10-40 ㎛) 공기보다는 먼지에서 주로 발견된다. 특히 빌딩의 환기시스템을 통해 전파될 수 있으므로 바퀴벌레가 보이지 않아도 알레르기가 생길 수 있다. 항원은 마루바닥, 카펫, 방바닥 등 편평한 곳에 있고, 때로 사람에 의해서 전파되어 침구류에서도 발견된다. 가장 중요한 처치는 바퀴벌레의 먹이가 되는 음식물 부스러기가 노출되지 않도록 음식을 남기지 않고 빨리 없애는 것이다. 이웃집과 협조하여 집단적으로 동시에 바퀴벌레를 퇴치한다.

5) 비항원성 실내 자극 물질

(1) 미세입자(Particulate matter, PM)

직경 10 ㎛ 이하의 입자로 호흡기에 도달할 수 있는 coarse PM_{10}과 폐포에 도달할 수 있는 직경 2.5 ㎛ 이하의 fine $PM_{2.5}$가 있으며 천식의 악화인자로 작용한다고 알려져 있다.

(2) 연소생성물

연소생성물에는 일산화탄소, 아황산가스, 산화질소, 이산화탄소 등이 있으며, 실내오염물질과 계절성 알레르기 비염 및 부비동염은 서로 연관되어 있다고 한다. 실내에 연소장치가 있으면 공기를 잘 환기하여야 한다.

(3) 간접흡연

간접흡연과 소아의 천식과의 관계는 잘 알려져 있으며 알레르기 비염에서도 간접흡연에 의해 비염 증상이 더 악화된다고 보고되고 있다. 집안에서는 담배를 피워서는 안 되며, 담배에 노출된 옷도 세탁하여야 한다.

2. 실외항원

1) 꽃가루

우리나라의 경우, 꽃가루는 2월부터 11월까지 겨울을 제외하고는 연중 지속적으로 날리고 있다. 수목류는 3-5월, 목초류는 5-9월, 잡초류는 8-10월에 주로 날린다. 수목류의 경우 소나무, 참나무(oak), 오리나무(alder), 자작나무(birch) 등이 주를 이루며 잡초류의 경우에는 환삼덩굴(Japanese hop), 쑥(mugwort), 돼지풀(ragweed)이 주요항원이다(그림 5-1). 수목류는 국내 전 지역에서 농도가 매우 높게 나타나나 알레르기 발현성(allergenicity)은 잡초류가 더 높다. 수목류의 경우 소나무가 5월 중순에 매우 높은 농도로 나타나며 참나무, 자작나무 등도 4-5월 기간에 그 농도가 높다. 소나무의 화분은 매우 높은 농도로 나타나지만 알레르기를 유발할 가능성은 매우 낮으며, 자작나무, 느릅나무 등과 같은 수목류와 돼지풀 등과 같은 잡초류는 그 발생량은 적으나 알레르기를 유발할 가능성이 매우 높아 주의를 요한다. 수목화분은 비산 거리가 짧아서, 도심에 생활하는 경우에는 수목류보다는 목초류나 잡초류에 의한 알레르기가 생기기 쉽다. 또, 수목류 꽃가루는 잡초류나 목초류에 비해 각 종 간의 교차반응이 적고 항원이 단순하다.

국내 꽃가루 달력(기상청 국립기상과학원, 그림 5-2)에 따르면 오리나무, 자작나무, 삼나무(cedars), 측백나무(oriental thuja)의 꽃가루는 2월에 날리기 시작해서 점점 농도가 증가한다. 서울과 구리의 경우 소나무, 참나무, 자작나무는 5월에 높다. 돼지풀은 6월 중순에 나타나서 9월 중순에 최고농도에 이른다. 환삼덩굴은 8월 중순과 9월 말에 최고치를 보이며 쑥은 8월 중순에 나타나서 9월 초까지 증가한다. 지역에 따라 꽃가루의 발생시기는 다를 수 있다(그림 5-1, 그림 5-2).

꽃가루는 입자의 크기(15-50 ㎛)는 크지만 공기 중에 부유하기 때문에 덥고 건조하며 바람 부는 날에 증상이 더 심하게 나타난다. 꽃가루의 농도는 아침 5시부터 10시까지 최고에 이른다. 따라서 야외활동은 아침보다는 저녁에 하는 것이 좋다. 실외활동을 줄이고 마스크를 착용하며, 실내에서는 창문을 닫아 외부 공기를 차단하는 것이 좋다(표 5-1). 국내 꽃가루 예보는 화분 알레르기연구회 홈페이지와 기상청에서 제공하고 있다(www.pollen.or.kr, www.nims.go.kr). 요즘에는 치료목적으로 이사를 하는 것은 추천되지 않는데 그 이유는 처음에는 증상이 나아지지만 시간이 흐르면서 다른 항원에 의해서 다시 증상이 나오기 때문이다.

2) 곰팡이

어디에서나 존재하며 연중 공기 중에 퍼져 있다. 실외포자의 수가 실내보다 2배 높다고 한다. 얼리거나 끓여도 살아남을 수 있으며 그 크기는 5-50 ㎛이다. 포자의 개수는 해가 지고 나서 최고에 도달하기 때문에 아침에 증상이 나오는 화분증과 달리 곰팡이 알레르기는 밤에 주로 나타난다. 곰팡이는 통년성 항원이지만 계절에 따라 심해지기 때문에 꽃가루 알레르기와 혼동해서는 안 된다.

3) 대기오염

천식 등 호흡기계 질환을 일으키는 물질에는 diesel exhaust particles (DEPs), SO_2, NO_2, O_3 등이 있다. 대기오염이 심해지면 외부활동을 가능한 줄인다.

4) 직업성 비염

직업성 비염은 직업이 비염을 일으키는 원인인 경우로 정의되며, 직업과 직접적으로 연관되거나 특정 작업 환경이 직접적인 원인이 되는 직업성 비염(occupational rhinitis, OR)과 이미 가지고 있는 비염이 직장 환경의 자극물질 등에 의해 악화되는 직업성 비염(work-exacerbated rhinitis)으로 나누어진다. 또한 직업성 비염(OR)은 항원에 의한 알레르기 직업성 비염과 자극물질에 의한 비알레르기 직업성 비염으로 다시 나누어진다. IgE 연관 직업성 비염(IgE-mediated OR)의 원인 물질은 고분자량물질(high molecular weight agents, 식물성 또는 동물성 당단백)과 저분자량물질(low molecular weight agents such as platinum salt, reactive dye, acid anhydrides 등)이며 IgE 비연관 직업성 비염(Non-IgE-mediated OR)의 원인물질은 주로 저분자량물질(low molecular weight agents such as isocyanates, persulphate salts, woods 등)이다. 여러 자극물질(vapor, fumes, smokes, dusts)에 의해서도 직업성 비염이 초래된다. 직업성 비염은 직업성 천식의 위험인자로 알려져 있기 때문에 조기진단이 매우 중요하다. 회피요법이 일차치료이며 자극 물질의 노출로부터 완전 회피하기 위하여, 비특이적 기관지 과민반응이 있는 경우 부서 이동이나 다른 직업으로 전환을 고려해야 한다. 항원의 노출을 유지하기 위해 노력한다면 직장을 유지할 수도 있는데, 예를 들어 실험실 동물에 알레르기가 있는 실험실에서 근무하는 직업성 비염 환자는 헬멧 호흡기를 쓰거나 라텍스 알레르기가 있는 병원 근무자의 경우 라텍스 장갑 안에 비닐장갑을 끼우는 방법이나 파우더 없는 장갑을 사용하여 항원 노출 정도를 최소화할 수 있다.

표 5-1. 각종 항원 및 자극물질에 대한 회피 및 예방법

종류	방법
집먼지 진드기	• 집먼지 진드기 비투과성인 베개나 매트리스 커버를 사용한다(tightly woven microfiber cover가 추천된다). • 매주 침구를 55도 이상의 뜨거운 물로 세탁한다. • 제습기나 에어컨을 사용하여 실내 상대습도를 50% 이하로 유지한다. • 매트리스 등 침구류, 깔개, 카펫 등을 강한 햇빛에 3시간 이상 말린다. • 카펫과 천으로 된 커튼을 없앤다. • HEPA 필터나 2-3중 미세여과봉지가 장착된 진공청소기를 사용한다. • 봉제 완구 인형이나 먼지가 끼기 쉬운 물건은 다른 곳에 치운다. • 진드기 구충제 또는 분해제(타닌산)을 사용할 수 있지만 효과적이지 않다.

종류	방법
꽃가루	• 실외활동은 줄이고 마스크를 착용한다. • 운동은 주로 늦은 오후나 저녁에 하는 것이 좋다. • 외부공기를 차단하는 것이 중요하다. • 창문을 닫고 생활한다. • 집에 돌아오면 옷을 세탁하고 샤워를 한다. • 옷은 옷장에 두고 침실에는 두지 않는다. • 침구류는 뜨거운 물로 자주 세탁한다.
곰팡이	• 곰팡이가 핀 곳은 표백제로 제거한다. • 물이 새는 곳은 고친다. • 제습기를 사용한다. • HEPA 필터가 장착된 공기청정기를 사용한다. • 환기가 잘 되게 한다. • 곰팡이가 생긴 옷, 책, 카펫 등은 없앤다. • 곰팡이가 생긴 벽지는 교체한다.
동물	• 가능한 집에서 동물을 없애고 철저하게 청소한다. • 침실에는 동물을 두어서는 안 되며 집 밖에서 키운다. • 실내에 두는 경우에는 동물을 격리한다. • 동물을 1주일에 2회 씻긴다. • 동물을 만진 후에는 손을 잘 씻는다. • 카펫을 없앤다. • 털 종류로 된 침구류(오리털, 거위털) 등은 가급적 피한다. • HEPA 필터가 장착된 진공청소기로 청소한다. • HEPA 필터가 장착된 공기청정기를 사용한다.
바퀴벌레	• 바퀴벌레가 나타나는 곳을 철저하게 청소한다. • 마루를 잘 닦고 싱크대 및 주방기기를 표백제로 씻고 진공청소기로 청소한다. • 외부로부터 바퀴벌레가 들어오지 못하도록 밀봉한다. • 싱크대에 음식을 남기지 않는다. • 카펫을 없앤다. • 바닥을 잘 닦는다. • 물이 새는 곳을 차단한다. • 침구류를 잘 세탁한다. • 음식물 쓰레기통을 빨리 비운다. • 바퀴벌레약을 사용한다.
실내 자극물질	• 실내온도를 22도 정도로 낮추고 적절한 상대습도를 유지한다. • 외부공기를 잘 환기시키고 자주 청소한다. • 친환경 건축자재를 사용한다. • 새집에 입주할 때는 충분한 기간 동안 고온의 난방을 하여 휘발성 화학물질을 제거하는 것이 좋다.

종류	방법
황사	• 황사에 대비한 일기예보를 점검하여 미리 대비한다. • 황사가 오면 창문을 닫고, 방을 걸레로 자주 닦으며, 가습기나 빨래 등으로 습도를 50% 정도 유지한다. • 수분을 충분히 보충하기 위하여 물이나 차를 자주 마신다. • 황사농도에 따라 야외활동 및 실외활동을 제한한다. • 외출을 한 경우 옷을 잘 털고 집안에 들어오며, 반드시 얼굴과 손, 발을 씻고 양치질을 한다. • 콘택트 렌즈 사용자는 콘택트 렌즈 대신 안경을 착용한다. • 외출 후 눈이 불편할 때는 인공누액 등을 점안하여 세척하되 손으로 비비지 않는다. • 황사에 노출된 채소, 과일 등 농수산물은 충분히 씻은 후 섭취한다. • 천식 등 심폐질환자의 경우 외출 시 방진마스크를 준비하고 기관지 확장제를 휴대한다.

자작나무(birch) / 미국 미역취(golden rod, solidago serotina)

삼나무(cedars) / 참나무(oak tree)

그림 5-1. **국내 주요 꽃가루 알레르기 원인 식물들**

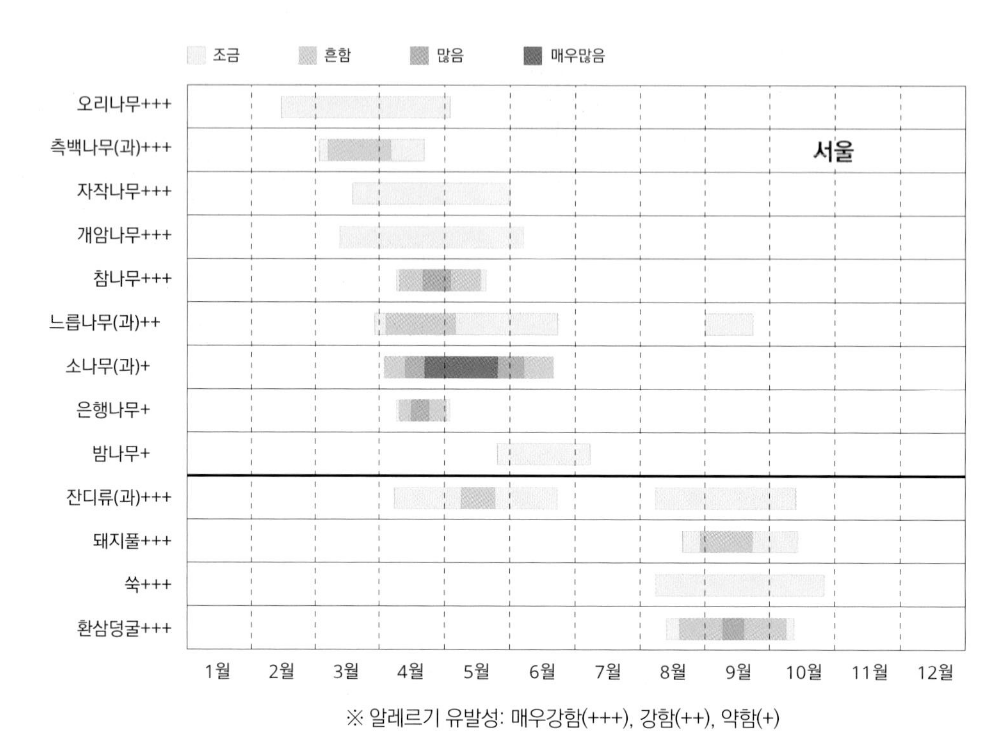

그림 5-2. 국내 꽃가루 알레르기 항원 달력(출처: 기상청 국립기상과학원)

References

- Bousquet J, Khaltaev N, Cruz AA, Denburg J, Fokkens WJ, Togias A, *et al*. Allergic Rhinitis and its Impact on Asthma (ARIA) 2008 update (in collaboration with the World Health Organization, GA(2)LEN and AllerGen). Allergy 2008;63(Suppl 86):8-160.
- Gianna Moscato 1, Olivier Vandenplas, Roy Gerth Van Wijk, Jean-Luc Malo, *et al*. EAACI position paper on occupational rhinitis. Respir Res. 2009;10(1):16.
- Kim S, Kim HJ. Comparison of formaldehyde emission from building finishing materials at various temperatures in under heating system; ONDOL. Indoor Air 2005;15(5):317-25.
- Lin SY, Reh DD, Clipp S, Irani L, Navas-Acien A. Allergic rhinitis and secondhand tobacco smoke: a population-based study. Am J Rhinol Allergy 2011;25(2):e66-71.
- Mahakittikun V, Boitano JJ, Tovey E, Bunnag C, Ninsanit P, Matsumoto T, *et al*. Mite penetration of different types of material claimed as mite proof by the Siriraj chamber method. Allergy Clin Immunol 2006;118(5):1164-8.
- Moscato G, Vandenplas O, Gerth Van Wijk R, Malo JL, Quirce S, Walusiak J, *et al*. Occupational rhinitis. Allergy 2008;63(8):969-80.
- Oh JW, Lee HB, Kang IJ, Kim SW, Park KS, Kook MH, *et al*. The revised edition of Korean calendar for allergenic pollens. Allergy Asthma Immunol Res 2012;4(1):5-11.
- Plaut M, Valentine MD. Clinical practice. Allergic rhinitis. N Engl J Med 2005;353(18):1934-44.
- Seidman MD, Gurgel RK, *et al*. Clinical Practice guideline: allergic rhinitis Otolaryngol Head Neck Surg. 2015;152(1 Suppl):S1-43.
- Takigawa T, Wang BL, Saijo Y, Morimoto K, Nakayama K, Tanaka M, *et al*. Relationship between indoor chemical concentrations and subjective symptoms associated with sick building syndrome in newly built houses in Japan. Int Arch Occup Environ Health 2010;83(2):225-35.
- 꽃가루 달력. 기상청 국립기상과학원. Available online: nims.go.kr/?sub_num=1031

VI

알레르기 비염의 약물요법

VI 알레르기 비염의 약물요법

원저자: 김성완, 박동준, 민진영, 박국진, 원태빈, 조재훈
개정판: 김현직, 김경수

알레르기 비염의 치료 약제는 크게 비강 내에 국소적으로 투여하는 약제와 경구로 투여하는 약제로 나눌 수 있다.

1. 항히스타민제

히스타민은 알레르기 비염 증상 발생에 가장 중요한 역할을 하는 염증매개체이고 그 수용체는 H_1, H_2, H_3가 있다. 코에서 히스타민의 효과는 주로 H_1 수용체를 통해 이루어지는 것으로 알려져 있으며, H_2 수용체가 관여한다는 보고도 있다. 알레르기 비염의 치료에 사용되는 항히스타민제는 H_1 수용체 길항제로 표적 세포의 히스타민 수용체에 경쟁적으로 작용하여 히스타민의 결합을 막는 역할을 하고, 편의상 2가지 세대 군으로 분류되며 화학적으로는 ethanolamine, ethylendiamine, alkylamine, piperazine, piperidine, phenothiazine의 여섯 군으로 구분된다. 각 군별로 작용시간이나 약물학적 특성이 특이한 것이 아니므로 구분하는 것이 큰 의미는 없지만 장기간 투여할 경우 약제에 대한 효과가 떨어지는 빠른 내성

(tachyphylaxis)이 생겼을 때 다른 군의 약물로 전환하는 것이 효과적일 수 있다. 또한 두 가지 이상의 약제를 병용 투여해도 효과가 더 뚜렷하다는 증거는 없고 과량 사용 시 부작용이 우려되므로 병용 투여는 주의를 요한다.

1) 1세대 항히스타민제

(1) 약리작용

1세대 항히스타민제는 신속히 흡수되어 H_1 수용체에 빠르게 작용한다. 이 약제들은 지용성이어서 혈액-뇌관문(blood-brain barrier)을 쉽게 통과하여 중추신경 진정작용, 항콜린 및 항무스카린작용, 소화기, 심장에 대한 효과 등을 나타낸다. 흔히 사용되는 1세대 항히스타민제는 다음과 같다(표 6-1).

표 6-1. 1세대 항히스타민제의 분류

Classification	Generic name
Ethanolamines	Clemastine(마스질정), Pyrilamine, Diphenhydramine(슬리펠정), Doxylamine(아론정), Carbinoxamine
Ethylendiamines	Tripelennamine
Alkylamine	Chlorpheniramine(페니라민정), Brompheniramine, Triprolidine
Piperazines	Hydroxyzine(아디팜정), Meclizine, Cyclizine
Phenothiazines	Promethazine, Trimeprazine
Piperidines	Cyproheptadine

(2) 임상효과

1세대 항히스타민제는 히스타민에 의해 매개되는 증상들, 즉 재채기, 코가려움증, 눈가려움증, 콧물에 효과가 있고 코막힘에 대해서는 덜 효과적이다. 항히스타민은 약리적 길항제로서 작용하여 히스타민에 의하여 발생한 조직변화를 되돌릴 수 없기 때문에 치료 효과를 높이기 위해서는 항히스타민제를 항원노출 2-5시간 전에 미리 사용하는 것이 좋다. 항히스타민제 단독 투여로 알레르기 비염 증상이 소멸되지 않는 경우가 많은데, 이는 히스타민뿐만 아니라 류코트리엔, 프로스타글란딘, 키닌 등의 다른 염증매개체도 염증반응에 관여하기 때문이다. 1세대 항히스타민제들은 각 군 사이에 치료효과는 큰 차이가 없으나, chlorpheniramine과 hydroxyzine은 다른 1세대 항히스타민제와 비교했을 때 더 효과적이라고 하며, 2세대 항히스타민제와 비교하여 항콜린 효과가 강하기 때문에 콧물에 대한 효과가 좋다.

(3) 부작용, 금기 및 타약제와의 상호작용

1세대 항히스타민제는 중추진정, 수면작용, 위장장애, 현기증, 두통 및 항콜린 작용으로 인한 구강건조감 등의 부작용이 심할 뿐 아니라 효과의 지속시간이 짧아 그 처방이 점점 줄어들고 있는 추세이다. 1세대 항히스타민제의 가장 중요한 부작용은 중추진정 효과로 나타나는 졸음이며 약을 복용한 환자의 1/3에서 이러한 부작용이 나타난다고 한다. 그리고 의식상실, 경련, 운동장애, 학습능력의 저하, 반응시간의 지연, 집중력 저하, 인지기능의 저하 등도 나타난다. 항콜린, 항무스카린성 효과에 따른 빈맥, 발기부전, 녹내장, 두통, 소변의 저류, 배뇨곤란, 시야 흐림, 입마름, 변비 등도 나타날 수 있다. 또한 권장용량 초과일 경우 prolonged QT interval이 나타날 수도 있음이 확인되었다. 그러므로 1세대 항히스타민제는 당뇨병, 녹내장, 전립선비대, 심장질환, 천식이 있는 환자에게 처방 시 주의를 요하며, 운전이나 위험한 작업을 하는 사람에게도 주의하여 투여하여야 한다. 소아에서는 성인에 비해 중추억제작용이 적으며 때로는 흥분작용을 보이는 경우도 있다.

항히스타민제는 MAO 억제제(monoamine oxidase inhibitors), 항우울제(tricyclic antidepres sants), narcotics, 알코올, barbiturate, 항파킨슨제 등과 같은 중추신경계에 작용하는 약들과 상호작용에 의한 부작용을 일으킬 수 있으므로 병용 투여 시 주의하여야 한다. 또한 경구피임제, progesterone, reserpine, thiazide 이뇨제 및 항응고제의 효과를 저하시킬 수 있다.

2) 2세대 항히스타민제

(1) 약리작용

2세대 항히스타민제(표 6-2)는 1세대 항히스타민제의 부작용과 약물상호작용을 보완하기 위한 목적으로 개발되었으며, 지방 불용성으로 혈액-뇌관문을 쉽게 통과하지 않고 중추신경계 H_1 수용체에 대한 결합력이 약하여 1세대 항히스타민제보다 진정작용이 적으며, 코막힘에도 효과가 우수한 편이다. 또한 항히스타민 작용 이외에 약리학적으로는 세포막 안정화작용, 코분비물 내의 염증매개물질 및 염증세포의 화학주성 물질을 억제하는 항염증작용도 가지고 있다. 1세대 항히스타민제에서 나타나는 약물 상호작용이 심하지 않고 진정작용, 항콜린 작용이 없어 녹내장, 당뇨, 전립선비대, 심장, 갑상선 질환 환자에서도 비교적 안전하게 사용될 수 있다.

표 6-2. 2세대 항히스타민제의 분류

Classification	Generic name
Alkylamines	Acrivastine
Piperazines	Cetirizine(지르텍정, 알러텍정)
Piperidines	Astemizole, Ketotifen(나잘렌정),Loratadine(클라리틴정), Terfenadine, Ebastine(에바스텔정), Epinastine(알레지온정)
Phenothiazines	Mequitazine(프리마란정)
Miscellaneous	Azelastine(아젭틴정), Emedastine(레미코프서방성캡슐)

표 6-3. 3세대 항히스타민제의 분류

Classification	Generic name
Piperidines	Fexofenadine(알레그라정) Bepotastine(타리온정, 투리온정)
Miscellaneous	Levocetirizine(씨잘정), Desloratadine(에리우스정), Rupatadine(루파핀정)

(2) 임상효과

최근 개발된 2세대 항히스타민제들은 작용시간이 길어서 하루 1회 혹은 2회 복용만으로도 충분하며 cetirizine, loratadine, acrivastine 등은 신속하게 체외로 배설되므로 복용 후 4일이 지나면 알레르기 피부반응 검사를 할 수 있다. 또한 1세대 항히스타민제에 비하여 빠른 내성이 없기 때문에 동일 약물을 장기간 사용할 수 있다. 최근에 개발된 fexofenadine, levocetrizine, desloratadine등 일부 항히스타민제는 3세대 항히스타민제로도 불리는데(표 6-3), 기존 항히스타민제의 대사물질이거나 유사체로 동일한 효과를 내면서도 부작용이 다른 세대 약제보다 적다는 장점이 있다.

Fexofenadine은 terfenadine의 심각한 부작용인 심독성이 없는 약제로 호산구를 비롯한 염증세포의 침윤도 억제한다. 졸음현상이 드물기 때문에 조종사, 장거리 운전자 등에도 복용이 허용되었다. Cetirizine은 고전적인 항히스타민제인 hydroxyzine의 대사물로 항히스타민 효과뿐 아니라 호산구의 유입을 억제하는 효과가 있어서 피부 및 호흡기 알레르기 질환에 효과가 뛰어나다. Levocetirizine은 cetirizine의 2가지 대사물 중 하나로 보다 강력한 항히스타민 효과를 보이며 졸음이 적다는 장점이 있다. Loratadine은 고전적 약제인 azatadine에서 개발되었지만 졸음현상을 포함한 고전적 항히스타민제의 부작용이 거의 없다. 국내외에서 성인과 12세 이상의 소아에 투약이 허용되는 약제로 cetirizine과 함께 임신범주(pregnancy category) B에 속한다. Ebastine은 흡수 후 2종의 활동성 대사물로 분해되어 작용하며, 졸음 없이도 항히스타민 효과가 우수하다. 이와 같이 2세대 항히스타민제의 안전성은 증가되었으나 증상개선효과는 1세대와 비슷하다.

(3) 부작용, 금기 및 타약제와의 상호작용

Cetirizine, fexofenadine, azelastine을 제외한 모든 약물은 cytochrome P450 효소에 의해 대사되므로 간 기능의 이상을 유발하거나 cytochrome P450 활동을 방해하는 약물은 항히스타민제의 대사 반감기를 지연시킬 수 있다. 이러한 경우 항히스타민제의 축적을 유발시켜 torsades de pointes와 같은 치명적인 심실 부정맥이 유발될 수 있다. 이러한 부작용은 특히 처음 개발된 2세대 항히스타민제인 terfenadine, astemizole에서 드물게 보고되고 있으므로 처방 시 주의가 필요하며, loratadine, desloratadine, fexofenadine, cetirizine, levocetirizine에서는 심독성이 보고된 바는 없다. 간의 cytochrome P450 효소에 의한 항히스타민제의 대사를 방해하는 약제로는 azole계 항진균제(fluconazole, itraconazole, miconazole), macrolide 항생제(erythromycin, clarithromycin) 및 ciprofloxacin, cefaclor, 자몽과 같은 것이 있다. 그러므로 간 기능의 이상, 저칼륨혈증, 저칼슘혈증, 선천성 QT 증후군을 보이는 환자에서 또는 이상에서 열거된 약들과의 병용 처방이 필요한 경우에 주의하여야 한다. Ketotifen, astemizole 등은 식욕을 증진시켜 체중증가를 유발할 수 있다. Cetirizine, fexofenadine, desloratadine은 투약 용량의 80% 이상이 신장을 통하여 소변으로 배설되므로 신 기능 장애 환자에서는 주의해야 한다.

2세대 항히스타민제 중에서 ebastine, epinastine, olopatadine, cetirizine, fexofenadine, bepostatine, levocabastine, loratadine 등은 알코올이나 중추억제제와 병용해도 부작용이 적다고 알려져 있다.

3) 비강 내 항히스타민제

(1) 약리 작용

비강 내 항히스타민제는 코점막의 H_1 수용체를 차단하는 작용뿐 아니라 항염증작용을 동시에 가지고 있어 류코트리엔의 생산을 감소시키고 콧물에 함유된 ICAM-1의 농도를 저하시키는 작용이 있으며 비충혈을 개선시키는 효과도 있다.

(2) 임상효과

비강 내 항히스타민제는 작용시간이 매우 빠른 것이 특징이다. 종류에 따라 다르지만 통상 비강 내 항히스타민제는 15-30분 이내의 작용하며 필요시에만 사용할 수 있는 장점이 있다. 경구 항히스타민제 치료가 실패한 환자에게 효과적이며 특히 코막힘 개선 효과가 더 뛰어나다. Azelastine과 olopatadine이 분무 제제로 사용할 수 있는 항히스타민제이다. Azelastine은 phthalazinone의 유도체이며 하루에 2회 분무로 소양감, 비루, 코막힘의 증상개선에 효과적이나, 쓴 맛이 있어 처음 사용 시 거부감을 일으킬 수 있다. Olopatadine은 하루에 2회 양측 비공에 2번씩 분무하여 안정적이고 효과적인 약효를 기대할 수 있다.

경구용 항히스타민제와 비강 내 항히스타민제를 병용하여 사용할 경우 각각 단독으로 사용하는 경우에 비해 효과적인 증상 조절을 보이므로 복합 사용을 고려해볼 수도 있다.

(3) 부작용

비출혈, 코점막 궤양, 재채기와 같은 국소적 부작용이 발생할 수 있다. 전신적인 부작용의 발생이 낮으나, 드물지만, 많은 양을 삼키게 되면 진정작용을 일으킬 수 있는(0.9-11.5%) 것으로 알려져 있다. 약제에 대한 과민반응이 있는 환자에서 금기증이며, 진정작용의 가능성 때문에 술이나 진정제와 같이 사용하는 것은 피하는 것이 좋다.

2. 항울혈제(Decongestant)

1) 경구용 항울혈제(Oral decongestant)

알레르기 비염의 코막힘은 코점막의 울혈(congestion), 부종(edema), 결합조직 증식 등에 의해 일어난다. 교감신경 자극제 또는 점막수축제는 코점막의 부종 및 울혈을 제거하는 작용을 하며 경구 또는 점비액이나 스프레이제 등으로 사용된다. 경구용 항울혈제의 종류는 ephedrine, pseudoephedrine, phenylpropanolamine, phenylephrine 등이 있다(표 6-4).

(1) 약리작용과 임상효과

경구용 항울혈제는 α_1, α_2 교감신경 수용체에 모두 작용하여 코점막 혈관수축을 유발시켜 코막힘을 줄여주는 효과가 있다. 항울혈제의 사용으로 코점막 부종의 감소로 인해 호흡이 원활해지고 부비동에서도 점액 배출이 용이해지므로 코막힘 증상을 일시적으로 호전시키는 데 효과적이지만, 알레르기 비염의 다른 증상들에는 효과가 없으므로 타 약제와 병용하는 경우가 많다.

(2) 부작용 및 금기

경구용 항울혈제의 과다사용은 위험한 전신반응을 일으킬 수 있다. 부작용으로는 불안, 불면, 두통, 배뇨장애, 심계항진, 식욕감퇴, 진전, 수면장애 등이 있다. 따라서 고혈압, 갑상선기능항진증, 심장질환, 부정맥, 당뇨, 녹내장, 전립선 비대, 위궤양 환자에서는 피하는 것이 좋고 1세 이하의 소아, 60세 이상의 성인, 임산부에서도 처방을 제한하는 것이 권장된다. monoamine oxidase inhibitor, β-adrenergic blockers, methyldopa, indomethacin, digitalis, theophylline 등과 약물상호작용에 의한 부작용을 일으킬 수 있으므로 병용 투여는 피해야 한다. 특히 monoamine oxidase inhibitor를 복용하는 환자에서는 hypertensive crisis 발생 가능성이 있으므로 주의해야 한다. 고혈압 환자에게 경구용 항울혈제의 처방이 반드시 필요할 경우 pseudoephedrine은 phenylephrine보다 혈압상승을 일으키는 경우가 적어 처방할 수도 있다. 정상혈압의 환자에서 혈압을 올린다는 보고는 없으며 6세 이상의 소아에서는 비교적 안전하게 사용 가능하다. Phenylpropanolamine은 가장 효과가 약하고 뇌출혈의 빈도를 높인다고 알려져 FDA에 의하여 판매 금지 조치되었다. 일반적으로 경구용 항울혈제는 국소 항울혈제보다 점막수축효과가 약한 대신, 국소제제에서와 같이 2차적인 반동성 울혈을 일으키지 않는다는 장점이 있으나, 2-3주 이상 장기 투여하지 않는 것이 좋다.

(3) 경구용 항울혈제와 타 약제의 복합제

항히스타민제와 점막수축작용이 좋은 경구용 항울혈제의 복합제들이 상품화되어 있다(표 6-5). 특히 서방형 pseudoephedrine이 항히스타민제와의 복합제로 흔히 사용되고 있다. 이러한 약제는 재채기, 콧물 외에도 코막힘에 대한 효과가 좋다.

표 6-4. 경구용 항울혈제의 분류

Classification	Generic name
Alpha/beta-adrenergic agonist	Ephedrine, Pseudoephedrine(슈다페드정), Phenylpropanolamine
Alpha-1 adrenergic agonist	Phenylephrine

표 6-5. 항히스타민과 항울혈제 병용제제

Antihistamine	Decongestant	상품명
Chlorpheniramine	Phenylephrine	코미정, 코비안에스정
Triprolidine	Pseudoephedrine	액티피드정
Cetirizine	Pseudoephedrine	그린노즈캡슐
Levocetirizine	Pseudoephedrine	코싹엘정
Ebastine	Pseudoephedrine	리노에바스텔캡슐
Fexofenadine	Pseudoephedrine	알레그라디정

2) 국소 항울혈제(Topical decongestant)

(1) 약리작용

국소 항울혈제는 전신적인 교감신경 항진작용 없이, 비갑개 정맥총의 전방 혈관 괄약근을 수축시켜 작용을 나타내며, 여기에는 α 교감신경 수용체가 역할을 하게 된다. α_1 교감신경 수용체는 시냅스 후 정맥에 분포하고, α_2 교감신경 수용체는 소동맥의 시냅스 전, 후의 신경말단에 위치해 있으며, 대부분의 국소 항울혈제는 이들 모두를 항진시켜 비갑개로의 혈류를 감소시켜 코점막 수축작용을 나타낸다. 반면 α_1 교감신경 수용체에만 작용하는 약물(phenyephrine)은 코점막의 혈류를 줄이는 효과가 적다.

(2) 임상효과 및 부작용

국소 항울혈제는 카테콜아민의 일종인 페닐에프린과 이미다졸린의 유도체인 옥시메타졸린, 자일로메타졸린으로 구분되며(표 6-6), 경구용 항울혈제에 비해 작용 시작이 빠르고 효능이 좋고 혈관을 수축시키는 효과가 강하다. 하지만 국소제의 경우 경구용에서는 없는 부작용인 α 교감신경 수용체의 하향조절을 통해 3-7일간의 사용 후 반동적인 비강충혈을 일으킬 수 있어 궁극적으로 약물유발성 비염(rhinitis medicamentosa)을 일으킬 수 있고, 환자는 일반적으로 코막힘 증상을 해결하기 위해 점차 사용량을 늘려가는 경향이 있는데 이것은 α-아드레날린 수용체의 민감성을 감소시키고 항울혈제의 효능을 최소화하는 tachyphylaxis을 유발한다. 알레르기 비염의 장기적인 치료에는 추천되지 않으며, 코막힘이 지속될 경우 다른 치료(경구용 항울혈제 사용, 수술 등)를 고려해야 한다.

따라서 비충혈이 심한 환자에게 비강 내 스테로이드제를 비롯한 분무 제제를 사용할 경우 약물투여가 용이치 않을 수 있으므로 국소 항울혈제를 일주일 이내로 단기간 처방할 수 있으며 비행이나 등산 등과 같이 고도변화에 의해 비충혈 증상이 심해지는 환자에게 사용하여 효과를 볼 수 있다. 신체검진을 위한 전처치로서 사용되기도 하며 알레르기 비염 증상 악화로 수면에 방해를 받는 환자에게도 효율적인 수면을 위해 단기간 투여가 가능하다.

ARIA의 알레르기 비염 치료지침에서는 항울혈제는 심한 비충혈을 동반한 성인에서 다른 약제와 함께 5일 이내 사용하는 것을 권장하며 학령기 전 아동에게는 사용하지 않을 것을 권고하고 있다.

국소용 항울혈제의 부작용은 재채기, 자극감, 건조증상이며 장기간 투여하면 비점막의 궤양, 섬모운동장애 등을 일으켜 비가역적인 만성 비후성 비염이나 부비동염을 유발할 수 있다.

표 6-6. 국소 항울혈제의 분류

Classification	Generic name
Alpha adrenergic agonist	Oxymetazoline(레스피비엔액), Xylometazoline(오트리빈)

3. 스테로이드제

스테로이드제는 현재까지 알레르기 비염 치료제로 알려진 약제 중 가장 강력한 항염증작용을 가지고 있어 알레르기 비염의 치료에 매우 효과적이다. 그러나 전신적 스테로이드제는 장기간 투여하면 부신피질익제, 성장장애, 골다공증 등의 심각한 부작용이 발생하여 일상적인 비염의 치료에는 거의 사용하지 않는다. 비강 내 스테로이드제는 경구용 혹은 주사용 스테로이드제의 전신적 부작용을 피할 수 있으며 전신적 투여 못지 않은 효과가 있다.

1) 경구 스테로이드제(Oral steroid)

기존의 치료에 반응이 없는 알레르기 비염에서 경구 스테로이드제의 사용에 대한 체계적 문헌고찰이나 무작위 대조군 연구는 없으며 스테로이드제의 용량이나 투여경로, 용량 반응 관계에 대한 비교논문도 없다. 알레르기 비염의 치료에서 경구 스테로이드제의 일상적인 사용은 권고되지 않는다. 하지만, 경구 스테로이드제 투여는 비강 내 스테로이드제나 항히스타민제를 사용해도 효과가 없을 때 시도해볼 수 있다. 스테로이드의 기본 약리작용은 알레르기 지연반응에 작용하는 것으로, 특히 코막힘과 후각소실에 대해 효과가 있을 수 있다. 스테로이드제의 경구 투여에 따른 부작용 위험성은 투여기간과 관계가 있으므로 비염의 치료에서는 2주 이내의 단기요법이 원칙이며, 투여하는 간격도 3개월 이상 두어야 한다. 약제의 종류에는 dexamethasone, hydrocortisone, methylprednisolone, prednisolone, prednisone, triamcinolone 등이 있다. 되도록 경구 스테로이드를 사용하지 않지만, 코막힘 등의 증상이 너무 심하여 수면 장애가 있는 경우에는 Prednisolone 0.5 mg/kg 정도를 단기간(7일 정도)

사용해볼 수 있다. 코가 완전히 막혀 있을 때는 비강 내 스테로이드제를 분무해도 비점막에 전체에 충분히 전달되지 못하기 때문에 경구 스테로이드제를 단기간 투여하여 공간을 확보한 다음 국소용 스테로이드제를 투여하는 것이 효과적이다. 경구 스테로이드제는 고용량 요법으로 사용할 수 있는데 이때는 속효성 경구용 스테로이드제인 prednisolone이나 methylprednisolone을 하루 50 mg으로 시작해서 10일간 용량을 단계적으로 줄이면서 사용할 수도 있지만, 경구 스테로이드제는 다양한 부작용을 유발할 수 있으므로 환자의 상태를 신중하게 관찰하면서 투여해야 한다. 스테로이드제 경구투여의 금기증으로는 포진성 각막염, 정신적 불안정, 결핵, 진행된 골다공증, 심한 고혈압, 당뇨병, 위궤양 등이 있다. 특히 산모나 소아 비염에서는 사용을 제한해야 한다. 동물실험에서 기형의 발생이 보고되어 임신 3개월 이전의 산모에 대한 투여는 피해야 한다. 경구 스테로이드제는 많은 약제들과 상호작용이 있을 수 있으므로 병용 투여 시 주의 깊은 경과관찰이 필요하다. 흔하게 사용하는 NSAID 병용 시 위장장애, 이뇨제, digitalis 병용 시는 저칼륨혈증, 제산제 병용 시는 스테로이드의 흡수율의 저하, 와파린과 병용 시는 항응고 작용의 감소를 일으킬 수 있다.

2) 비강 내 스테로이드제

비강 내 스테로이드제는 중등도 이상의 비염에서 일차약제로 쓰인다. 2016년 개정된 ARIA 가이드라인에서는 비강 내 스테로이드가 계절성 및 통년성 알레르기 비염의 치료에서 가장 효과적인 약제이며, 계절성 알레르기 비염에서는 비강 내 스테로이드제와 경구 항히스타민제의 조합과 비강 내 스테로이드제 단독으로 사용하는 것을 동등하게 추천했고, 통년성 알레르기 비염에서는 비강 내 스테로이드제 단독 사용을 비강 내 스테로이드제와 경구 항히스타민제의 조합보다 추천하였다. 비강 내 스테로이드제는 적정한 용량을 사용하였을 때 부작용을 최소화하면서 증상을 가장 효과적으로 조절할 수 있는 단일제이며, 다양한 종류의 제품들이 국내에서 시판되고 있다. 비강 내 스테로이드는 생체이용률(bioavailability)에 따라 1-3세대로 구분될 수 있고, 1세대 비강 내 스테로이드제는 2세대와 3세대에 비해 생체이용률이 높은 동시에 전신적 부작용도 높다(표 6-7).

표 6-7. 비강 내 스테로이드제의 생체이용률에 따른 분류

Composition		Bioavailability
1세대	Beclomethasone	44%
2세대	Budesonide	10-34%
3세대	Fluticasone propionate	< 2%
	Mometasone furoate	< 1%
	Fluticasone furoate	< 1%
	Triamcinolone acetonide	Not available
	Budesonide dipropionate	Oral (10.7%)
	Ciclesonide	< 1%

(1) 약리작용

비강에서 흡수된 스테로이드는 염증세포의 세포질 내에 있는 글루코코르티코이드 수용체에 결합하여 항염증유전자를 활성화시키게 되고 이 과정에 의해 항염증단백의 mRNA 발현이 증가된다. 동시에 여러 종류의 사이토카인과 케모카인 유전자의 활성을 막아 염증을 억제하게 된다. 스테로이드에 의해 영향을 받는 화학매개체는 류코트리엔과 프로스타글란딘 등이 포함되며 포스포리파아제 A_2 억제기능을 가진 리포코틴-1을 증가시켜 지질대사산물의 생성을 억제하며 히스타민, 혈소판활성인자, 키닌, substance P 등에도 억제작용이 있다. 또한 혈액 내의 T 세포의 수를 줄이며 활성화를 억제하고 IL-2와 IL-2 수용체 생산을 억제하는 동시에 IL-4 생산도 감소시킨다. 혈액과 조직 내의 호산구를 줄이며 IL-5에 의한 호산구의 수명연장 작용을 억제하고 GM-CSF의 생산을 줄인다. 코점막의 비만세포와 호산구, 호염기구의 수를 감소시키며 과민반응과 혈관투과성을 감소시키고 비만세포로부터 화학매개체의 분비를 감소시킨다. 이 밖에 혈액 내의 대식세포와 단핵구의 수를 줄이고 IL-1, IFN-γ, TNF-α, GM-CSF의 생성을 억제한다. 이러한 효과는 스테로이드의 작용기전으로 인해 분무 후 7-12시간 이후에 반응이 나타나며, 수일이 지나야 최고의 효력을 발휘하게 된다. 따라서 꽃가루 시즌 전 1주일 정도 앞서 미리 국소 스테로이드제를 투여하는 것이 도움이 된다. 비강 내 스테로이드제의 투여는 알레르기에 의한 안구 증상을 호전시킨다. 안구증상 호전의 기전은 정확히 밝혀져 있지 않지만 비강 안구반사(naso-ocular reflex)의 감소에 의한 것으로 추정된다.

(2) 임상 효과

비강 내 스테로이드제는 알레르기 비염과 연관된 코막힘, 비루, 재채기, 가려움, 후비루 등과 같은 비강 내 증상의 개선뿐 아니라 안구증상에도 효과가 있는 것으로 알려져 있다. 스테로이드제는 비강의 알레르기 염증반응을 여러 단계에서 효과적으로 억제한다. 다른 약제들과의 효과를 비교한 연구들에서 대부분 비강 내 스테로이드제의 우수성을 인정하고 있다. 현재 많이 쓰이는 비강 내 스테로이드제로는 triamcinolone acetonide, fluticasone propionate, mometasone furoate, fluticasonse furoate, ciclesonide 등이 있다. 이들 약제는 하루 1회 투여로 효과가 24시간 지속된다. 비강 내 스테로이드제는 알레르기 비염과 비알레르기 비염에서 코막힘, 재채기, 가려움증, 콧물에 효과적이다. 다수의 비교연구 결과 비강 내 스테로이드제는 코막힘을 포함한 코 증상의 개선에 경구 항히스타민제보다 우월하며 항류코트리엔제, 비만세포 안정제, cromolyn보다도 우월하다.

4-8주 정도 비강 내 스테로이드제 사용 시 코막힘을 포함한 증상까지 완화되는 것이 일반적이며, 이후 분무하는 빈도를 반으로 줄여 유지한다. 그러나 환자마다 원인 항원의 종류가 다르고 증상의 중증도와 지속기간이 다르므로 치료 종료 시점을 일괄적으로 정하기는 어렵다.

(3) 부작용 및 상호작용 안정성

대부분의 비강 내 스테로이드제는 hydrocortisone의 약리학적 유도체이며 인체 내 효능을 높이기 위하여 지용성으로 만들어 세포 내로의 투과성이 증가된 형태이고 대사는 간에서 주로 일어난다. 현재 사용 중인 비강 내 스테로이드제는 대체적으로 알레르기 비염에 안전하게 사용할 수 있는 것으로 간주되며 투여 후 활성이 약한 물질로 곧 대사되므로 부작용을 최소화할 수 있다.

① HPA axis 억제와 성장 장애

비강 내 스테로이드가 시상하부-뇌하수체-부신 축(hypothalamic-pituitary-adrenal axis)과 소아의 성장에 미치는 영향에 대한 보고들이 많이 있지만, 결론적으로 전신성 스테로이드제 투여에서 관찰되는 성장장애는 없으며 시상하부-뇌하수체 호르몬 불균형 현상도 관찰되지 않는다. 1세대 비강 내 스테로이드제인 beclomethasone의 사용이 소아의 성장저하에 영향을 미쳤다는 연구결과가 있으나, 2세대와 3세대 비강 내 스테로이드제의 경우 적절한 용량을 사용하였을 때 전신 영향이 없거나 극히 제한적이었다고 보고하고 있다. 비강 내 fluticasone propionate (200 ㎍/day), mometasone furoate (100 ㎍/day), budesonide (64 ㎍/day)를 사용한 연구에서 이들 약제가 소아의 성장에 미치는 영향은 없었다. 또한 비교적 최근에 개발된 제제는 전구체 형태로 존재하여 투여 후 코점막에 존재하는 점막 에스테라제에 의해 활성화되어 작용을 나타내는 반면, 구강이나 소화기관 내에서는 점막 에스테라제가 결핍되어 있어 약물이 비활성화 상태로 존재하게 된다. 비강 내 스테로이드제의 안전성은 밝혀져 있지만 천식이나 아토피를 동반한 환자의 경우 이미 사용중인 약물들로 인해 전신적인 스테로이드의 효과가 증대될 수 있으므로 유의하여야 한다.

② 뼈와 안압에 미치는 영향

비강 내 스테로이드제의 사용은 골절의 빈도를 높이고 녹내장이나 백내장의 발생을 증가시킨다고 되었으나, 2006년 미국의 면역학회 태스크포스는 이 결과들이 위험도를 평가하기에 충분하지 않다고 결론지었다.

③ 국소 부작용

비강 내 스테로이드제 사용 환자의 10%에서 국소적인 비점막 자극 증상인 코점막의 건조감, 작열감 등이 관찰되고 4-8%에서 비출혈을 호소한다. 비중격 점막 손상이 발생한 경우 연고를 도포하면 도움이 된다. 이러한 국소 증상은 스테로이드 자체의 영향보다 약제 내에 포함된 알코올이나 프로필렌 글라이콜과 같은 첨가제가 주요한 원인으로 추정된다. 비출혈은 2-12%가량의 환자에서 보고되며 기계적 자극이 비출혈의 원인으로 생각된다. 드물게 코와 인두에 국소 진균 감염증이 발생할 수 있다. 점막 위축의 경우 5년간의 비강 내 스테로이드제 사용 후 시행한 점막의 생검에서 유의한 변화를 보이지 않은 것으로 보아 위험성이 떨어진다고 판단된다. 비강 내 스테로이드제 사용 후 비중격 천공이 발생하였다는 보고가 있으므로 분무 시 방향이 비중격을 향하지 않도록 유의하여야 하며, 처방 시 이러한 위험성들에 관하여 환자에게 설명하여야 한다.

④ 부신 억제

비강 내 스테로이드제의 안전성은 밝혀져 있지만 천식이나 아토피를 동반한 환자의 경우 이미 사용 중인 약물들로 인해 전신적인 스테로이드의 효과가 증대될 수 있으므로 유의하여야 한다. Fluticasone과 CYP3A4 효소 억제제(ritonavir, itraconazole, nefazodone)를 동시에 사용하였을 때 부신 억제가 초래될 수 있다는 보고가 있어 CYP3A4 효소억제제와 fluticasone을 비롯한 다른 비강 내 스테로이드제를 동시에 사용할 경우 용량을 최소화하여 사용하거나 쿠싱증후군(Cushing's syndrome)의 증상과 징후에 관한 면밀한 관찰을 해야 한다.

(4) 적정용량 및 분무 시기

비강 내 스테로이드제의 적정 용량은 제품별로 다르므로 이를 숙지하는 것이 필요하다. 이들 중 triamcinolone acetonide, budesonide, fluticasone propionate, mometasone furoate, ciclesonide, fluticasone furoate 등은 하루에 한 번의 분무로 효과를 나타낼 수 있어 환자의 순응도 향상에 유리하다. 대부분의 비강 내 스테로이드제는 하루에 1회 양쪽 비강에 두 번씩 분무하거나, 2회 각각의 비강에 한 번씩 분무한다. 비강 내 스테로이드제 사용 시 권장되는 용량은 원칙적으로 연령에 허용된 최대용량으로 시작하며 일단 증상이 조절되면 일주일가량 유지 후 감량한다. 일반적으로 증상이 심한 만성환자에서는 매일 사용이 요구되나, 증상이 경하거나 소아의 경우 격일의 사용이나 필요시의 사용 등과 같이 용량을 낮추어도 효과적인 증상 조절 효과가 있다.

(5) 비강 내 스테로이드제의 무효 원인과 처치

비강 내 스테로이드제는 투여 후 12시간이 되어야 효과가 나타나고, 대부분의 알레르기 비염 환자가 하루 중 아침에 재채기와 콧물 등의 증상이 심하므로 아침보다는 저녁시간에 약제를 투여하여 증상을 예방하는 것이 유리하다. 많은 환자들이 고개를 들고 천장을 향한 상태에서 분무하므로 약제가 코점막에 고루 분사되지 않고 비강의 전정부에만 도포 되는 일이 흔하다. 따라서 처음 사용하는 환자들에게는 고개를 숙이고 호흡을 중단한 상태에서 분무방향이 비강과 평행이 되거나 동측 외안각을 향하게 하는 등 투여방법을 자세히 가르쳐 주어야 한다. 비중격을 향해 지속적으로 분사하는 경우 점막에 손상을 주거나 비출혈의 원인이 된다. 심하게 울혈된 코에서는 약제가 비점막에 고루 묻지 않으므로 국소용 혈관 수축제나 경구용 스테로이드제를 단기간 투여하여 우선 콧속에 공간이 확보된 후 분무한다. 비강 내 스테로이드제 사용 시 1-2회 분무 후 효과가 없다고 자의로 중단하는 환자도 흔히 있는데, 국소용 스테로이드제는 분무 후 5-7일 만에 최대 효과를 보이므로 최소한 5일간 사용한 다음 효과를 판정해야 한다고 교육하는 것이 좋다. 이 외에도 비강 분무 중 발생할 수 있는 효과 저하의 문제점에 대하여 환자에게 교육을 시행하여 환자의 약물 순응도를 높일 수 있다(표 6-8).

표 6-8. 비강 내 스테로이드제의 무효 원인과 처치

원 인	처치법
스테로이드제에 반응하지 않는 질환	다른 치료법으로 전환
코가 막혀서 약이 도달하지 못할 때	국소용 혈관수축제, 전신적 스테로이드제의 일시적 사용 혹은 수술 후 분무
즉시 효과 기대	환자 교육(최소 5일, 일주만에 최대 효과)
전신적 부작용에 대한 두려움	환자 교육(매우 드뭄)
국소 부작용(딱지, 출혈)	연고제 도포, 타 제형으로 전환
분무 직후 재채기	계속 분무하면 소실
의사지시 불이행	환자 교육, 부모의 관심
분무 시 숨을 들이쉼	분무 시 호흡 정지

4. 류코트리엔 수용체 길항제 (Leukotriene receptor antagonist, LTRA)

LTRA의 종류에는 pranlukast, zafirlukast, montelukast가 있으며(표 6-9), 2016년 개정한 ARIA의 치료 지침에 따르면 계절성 알레르기 비염 환자의 투약 선호도, 접근성, 비용 등을 고려하여 일차약제로 LTRA을 선택할 수 있다. 특히 알레르기 비염 환자 중 천식, 운동 또는 아스피린 악화성 호흡기 질환을 동반한 경우 LTRA 투약이 경구 항히스타민보다 유용하다고 보고하였다.

1) 약리작용과 임상효과

알레르기 비염의 염증반응에서는 히스타민이 매우 중요한 역할을 하지만 아라키돈산의 대사산물인 cysteinyl leukotrienes (LTC_4, LTD_4, LTE_4)도 중요한 부분을 담당하는 염증매개체이다. 특히 알레르기 비염 환자에서 코막힘은 지연형 반응시기에 주로 나타나며 지연반응 시 환자의 비분비물에서 LTC_4가 증가된다. 류코트리엔은 코점막의 capacitance vessel의 평활근을 이완시키고 코점막의 민감도를 증가시키고, 혈관투과성, 비강기도의 저항을 증가시킨다. 따라서 그 수용체 길항제인 LTRA는 코막힘의 개선 정도에 있어서 2세대 항히스타민제보다 뛰어난 효과를 보인다고 한다. 또한 LTRA는 코점막으로 호산구가 침윤하는 것을 억제하므로 코점막 과민성을 경감시켜 LTD_4에 의한 콧물 분비를 억제하며 재채기나 콧물에 대해서도 효과가 있다. 이러한 효과는 약물 복용 1-2주 후에 나타난다. 아직까지 경구 항히스타민제와 경구 항류코트리엔제 병합요법이 단독요법에 비해 효과가 있는지에 대해서는 논란이 있으며 현재 통상적인 병합요법으로는 추천되지 않는다. 다수의 연구에서 병합요법의 효과는 경구 항히스타민제 단독요법과 동일하다고 보고되었다. 하지만 다른 문헌에서는 단독요법보다 효과적이며 특히 저녁 증상의 개선에 항류코트리엔제 단독요법보다 효과적이라는 보고도 있다. 하지만 본 병합요법은 비강 내 스테로이드제 단독요법보다 효과가 동등하거나 더 떨어진다.

표 6-9. 류코트리엔 수용체 길항제

Classification	Generic name
Leukotriene receptor antagonist	Pranlukast(프라카논정, 오논캅셀), Zafirlukast(아콜레이트정), Montelukast(싱귤레어정, 몬테레어정)

2) 부작용 및 금기

부작용으로는 두통, 현기증, 구역, 속쓰림, 설사, 근관절통, 빌리루빈 상승, 백혈구나 혈소판 감소, 간 기능 장애 등이 나타날 수 있다. 또한 Churg-Strauss 증후군형의 혈관염을 일으켰다는 보고가 있으며 erythromycin, itraconazole 등과의 약물 상호작용이 있으므로 병용 시에는 주의가 필요하다. 드물지만 montelukast 투약과 관련하여 불면, 불안, 우울과 자살충동 등 신경정신적 부작용이 보고되면서 2020년 FDA는 타 약물로 조절되지 않는 알레르기 비염의 치료로 제한하였다.

5. 기타 약제

1) 비만세포 안정제(Mast cell stabilizer)

비만세포 안정제는 비만세포의 세포막을 안정화하여 화학매개체의 유리를 억제하는 약물이다. 크로몰린 소디움은 국소용, 암렉사녹스(amlexanox)는 국소 및 경구용, 트라닐라스트(tranilast)와 페미로라스트 칼륨(pemirolast potassium)은 경구용으로 사용한다. 임상적으로 충분한 효과가 나타나는 데에는 1-2주간의 지속적인 사용이 필요하며 코막힘에 대한 유효성은 1세대 항히스타민제보다는 높지만 즉효성은 떨어지기 때문에 타 약제의 사용으로 알레르기 비염의 정도가 감소한 환자의 유지요법으로서 이용하는 것이 좋다.

크로몰린 소디움은 비만세포뿐 아니라 호산구, 표피세포와 내피세포, 섬유아세포, 감각신경세포 등에 존재하는 chloride channel의 전도를 차단하여 알레르기 염증을 억제한다. 또한 세포막의 칼슘이동을 조절하는 기전과 연관되어 있는 크로몰린 결합 단백질(cromoglycate binding protein)과 결합하여 IgE 의존성 탈과립을 억제하며 비만세포의 히스타민과 기타 염증전달물질의 방출을 억제한다.

크로몰린 소디움은 이미 생성된 알레르기 매개물질에 작용하지 못하므로 알레르기 물질에 노출되기 전에 사용해야 효과적이다. 따라서, 특정한 항원에 노출되면 증상을 일으키는 병력이 있는 환자의 경우 사전에 분무하면 알레르기 증상의 억제를 기대할 수 있다. 이러한 예방효과는 분무 후 4-8시간 지속된다.

크로몰린 소디움은 스프레이 형태로 사용되며 효과적인 증상의 경감을 위해서는 잦은 분무가 필요하다. 증상이 좋아질 때까지 4시간마다 각 비공당 1회 분무하며, 효과는 대개 4-7일 후에 나타난다. 증상이 심한 경우나 연중 증상이 지속되는 경우는 최대 효과가 나타나기까지 2주 이상의 분무가 필요하다. 계절성 알레르기 비염의 치료를 위하여 하루에 4-6회 정도 각각의 비공에 한 번에서 두 번의 분무가 요구되며 2-3주가량 분무 후 효과가 있으면 분무 횟수를 줄일 수 있다.

대부분의 연구에서 크로몰린 소디움은 계절성 알레르기 비염의 치료에 효과를 보였으나, 비강 내 스테로이드제나 2세대 항히스타민제에 비하여 효과가 떨어지는 것으로 알려져 있다. 계절성 알레르기 비염의 경우 어느 정도 증상의 발현시기를 예측할 수 있으므로 예방적인 사용에 좋은 적응이 된다.

크로몰린 소디움의 가장 큰 장점은 안전성으로, 아직까지 특별한 부작용이나 동물 실험상 기형을 유발했다는 보고가 없어 소아와 임산부에서도 사용이 가능한 안전한 약물이다. 부작용은 미미하나, 재채기, 코가 매운 느낌, 코점막 자극증상, 비출혈 등이 있다. 경구용 트라닐라스트와 페미로라스트 칼륨은 간 기능 장애, 빈혈, 발진, 방광염양 증상 등이 나타날 수 있다.

2) 프로스타글란딘 D_2, 트롬복산 A_2 수용체 길항제 (Prostaglandin D_2, Thromboxane A_2 receptor antagonist)

PGD_2, 트롬복산 A_2 수용체 길항제인 라마트로반(Ramatroban)은 코점막 혈관투과성의 항진이나 비강 저항의 상승을 억제하여 코막힘을 개선하는 효과가 있다. 또한 PGD_2의 수용체의 하나인 CRTH2 (chemoattractant receptor-homologous molecule expressed on Th2 cells)의 차단을 통해 PGD_2의 호산구 유주작용, 그리고 코점막의 과민성 항진을 억제해 재채기, 콧물을 개선한다. 부작용으로서 간 기능 장애, 복통, 두통, 출혈 경향이 있으며 살리실산계제, 테오필린과도 상호작용이 있으므로 주의가 필요하다.

3) Th2 사이토카인 억제제(Th2 cytokine suppressor)

Th2 사이토카인 억제제의 작용기전은 Th2 세포로부터의 사이토카인 IL-4, IL-5 생성을 억제한다는 것이다. IgE 항체 생성 억제, 호산구 침윤 억제가 알레르기 증상을 경감시키며 비만세포로부터의 히스타민 유리도 억제한다고 알려져 있다. 약제로는 토실산 스플라타스트(suplatast tosilate)가 있으며 재채기, 콧물보다 코막힘에 더욱 효과가 있고 다른 약제와 병용하면 효과가 커진다.

4) 비강 내 항콜린제(Intranasal anticholinergics)

콜린 수용체는 콧물 생산에 중요한 기능을 하며 혈관의 조절에는 관여하지 않는다. 때문에 비강 내 항콜린제의 주요 작용은 콧물을 감소시키는 것으로, 가려움, 코막힘에는 효과가 없어, 알레르기 비염의 일차약제로 단독 사용하는 것보다는 항히스타민제나 비강 내 스테로이드를 사용한 후에도 콧물이 지속되는 환자들에게서 콧물을 감소시킬 목적으로 병합 사용하는 경우가 흔하다. 이 외에도 과도한 콧물을 주증상으로 호소하는 비알레르기 비염(non-allergic rhinitis) 혹은 혈관운동성비염과 식사와 관련된 미각성 비염(gustatory rhinitis)의 치료에 유용한 약제가 될 수 있다.

항콜린제는 분비선 조직의 아세틸콜린 수용체에 경쟁적으로 결합하여 아세틸콜린의 작용과 substance P의 분비를 억제시킴으로써 나타난다. Ipratropium bromide, oxitropium bromide, tiotropium bromide와 glycopyrrolate는 생체막으로는 잘 흡수되지 않는 무스카린 수용체 길항제이다. 코점막, 위장 관막, 뇌혈관벽을 거의 통과할 수 없는 Ipratropium bromide는 코점막에만 국소로 작용하고 전신적인 항콜린 효과가 적으며 비강의 정상생리기능을 저하시키지 않는다. 부작용은 일반적으로 경미하지만 흔하게 나타나는 부작용은 경도의 일시적 건조감과 비출혈이다.

5) 생물학적 제재(Biologics)

생물학적 제제(Biologics)는 세포 배양·유전자 재조합·유전자 조작 등의 생명공학방법을 직간접적으로 활용하여 만들어 낸 의약품을 의미한다. 현재 알레르기 면역반응의 여러 단계에 관여하는 다양한 매개체에(대표적으로 IgE, IL-4, IL-5, 등) 대한 단일클론항체(monoclonal antibody)가 개발되어 있으며 천식, 아토피 피부염, 만성 두드러기, 만성 비부비동염 등과 같은 만성 질환에 승인되어 사용되고 있다. 아직까지 알레르기 비염을 대상으로 허가된 생물학적 제제는 없는 실정이나 긍정적인 효과를 보여주는 많은 연구가 진행되고 있다. 특히 anti-IgE (omalizumab), anti-IL-4/IL-13 (dupilumab) 제제의 경우 천식을 동반한 알레르기 비염 환자에서 사용이나 면역치료(immunotherapy)와의 동반 상승 효과에 대한 기대가 높은 상황이다.

6) 복합제제

항히스타민제와 스테로이드를 하나로 결합한 nasal spray가 출시되어 중등도에서 중증의 연중 또는 계절성 알레르기 비염 증상 치료에 사용되고 있으며, 제품으로는 아젤라스틴(항히스타민제)와 플루티카손(스테로이드제)를 하나로 결합한 딜라스틴나잘스프레이(Dylastine® nasal spray)와 아젤라스틴과 모메타손(스테로이드제)를 하나로 결합한 모테손플러스(Motesone Plus® nasal spray)가 있다.

6. 비강 세척(Nasal irrigation)

비강 세척은 비염 증상 및 약물 사용을 감소시키며, 점액섬모 수송능을 향상시킨다. 비염 증상과 관련된 삶의 질도 비강 세척 후 개선되는 것으로 나타나, 삶의 질이 약물요법과 비교될 만큼 유의하게 개선되는 경향을 보여 비강 세척은 알레르기 비염의 보조적인 치료로 추천할 만하다. 2018년 cochrane review에서 알레르기 비염을 가진 성인과 소아에서 생리식염수 세척이 3개월까지 특별한 부작용 없이 patient-reported disease severity를 감소시킨다고 보고하였다. 비강 세척액의 염화나트륨(NaCl) 농도는 0.9-3.0%의 농도로 사용되고 있지만, 일반적으로 고장성 용액보다는 등장성 용액을 추천한다. 이전의 연구결과들에 따르면 등장성 용액을 사용하였을 때는 점액섬모 수송능이 향상되었으나, 고장성 용액을 사용하였을 때에는 오히려 다소 악화되는 경향을 보였다. 과도한 농도의 고장성 식염수를 사용하는 경우 점막을 자극하게 되어 histamine, substance P 등과 같은 신경전달물질의 분비가 증가되어 증상을 오히려 악화시킬 수 있으므로 주의하여야 한다. 비강 세척은 스프레이, 펌프, 또는 squirt을 사용하여 낮은 압력으로 시행하거나, 네뷸라이저를 이용하거나, 한쪽 콧구멍으로 흘려 다른 쪽으로 나오게 하는 gravity-based pressure를 이용하여 시행할 수 있다. 스프레이 방법과 관류방법의 효과를 비교한 메타분석 결과 스프레이 방법을 사용하였을 때는 각종 지표가 23-45% 향상되는 데 비해 200-400 mL 정도의 양을 관류하였을 때는 3.2-45.5% 향상되어, 적은 양을 사용한 스프레이 방법이 좀 더 효과적인 결과를 보였다. 많은 양의 용액을 관류할 때의 불편감 및 노력을 함께 고려하였을 때, 스프레이 방법을 사용하는 것이 좀 더 합리적이다. 현재까지의 연구에서 비강 세척으로 인한 합병증은 보고된 적이 없어 비교적 안전하게 사용할 수 있는 치료이다. 비강 세척이 알레르기 비염의 증상을 완화시키는 기전에 대해서는 정확히 알려져 있지 않으나, 점액, 가피, 알레르겐 등을 직접 물리적으로 세척해내는 효과, 비강 내 각종 염증매개물질의 제거, 점액섬모 수송능의 향상 등이 가능한 기전으로 제시되고 있다. 결론적으로 비강 세척은 간단하면서 값싸고, 안전하게 환자의 증상과 약물 요구량을 유의하게 개선함으로써 알레르기 비염의 보조 치료로서 유용하게 사용할 수 있다.

7. 비강분무 약물의 투여방법

1) 비강 내 스프레이제(Nasal spray, 그림 6-1)

- 코점막이 점액이나 가피 등에 의하여 덮여있을 경우 치료의 효과가 떨어지므로 분무 전 식염수 세척을 통하여 이를 제거하고 사용한다.
- 분무 시 고개를 들면 약의 대부분이 구강으로 흘러내리게 되므로 고개를 숙인 자세에서 분무하도록 환자를 교육시킨다.
- 고개를 약간 숙인 상태에서 반대편 코를 손가락으로 막은 후 비중격에 대한 기계적인 자극을 최소화하기 위하여 분무방향은 비중격이 아닌 동측의 외안각 쪽으로 향하도록 한다.
- 분무 후 살짝 들이마셔 비강의 상부에 약물이 도달하도록 투약 지도한다.

그림 6-1. 비강 내 스프레이제의 투여 방법

References

- Abdullah B, Kandiah R, Hassan NFHN, Ismail AF, Mohammad ZW, Wang Y. Assessment of perception, attitude, and practice of primary care practitioners towards allergic rhinitis practice guidelines: Development and validation of a new questionnaire. World Allergy Organ J. 2020;13(12):100482.
- Baroody FM, Shenaq D, DeTineo M, Wang J, Naclerio RM. Fluticasone furoate nasal spray reduces the nasal-ocular reflex: a mechanism for the efficacy of topical steroids in controlling allergic eye symptoms. J Allergy Clin Immunol 2009;123(6):1342-8.
- Brożek JL, Bousquet J, Agache I, Agarwal A, Bachert C, *et al*. Allergic Rhinitis and its Impact on Asthma (ARIA) guidelines: 2016 revision. J Allergy Clin Immunol 2017;140(4):950-8.
- Feng Y, Meng YP, Dong YY, Qiu CY, Cheng L. Management of allergic rhinitis with leukotriene receptor antagonists versus selective H1-antihistamines: a meta-analysis of current evidence. Allergy Asthma Clin Immunol. 2021;17(1):62.
- Hampel FC, Ratner PH, Van Bavel J, Amar NJ, Daftary P, Wheeler W, *et al*. Double-blind, placebo-controlled study of azelastine and fluticasone in a single nasal spray delivery device. Ann Allergy Asthma Immunol 2010;105(2):168-73.
- Head K, Snidvongs K, Glew S, *et al*. Saline irrigation for allergic rhinitis. Cochrane Database Syst Rev. 2018;6(6):CD012597.
- Son J, Kim ES, Choi HS, Ha IH, Lee D, Lee YJ. Prescription rate and treatment patterns for allergic rhinitis from 2010 to 2018 in South Korea: a retrospective study. Clin Mol Allergy. 2021;19(1):20.
- Weinstein SF, Katial R, Jayawardena S, Pirozzi G, Staudinger H, Eckert L, *et al*. Efficacy and safety of dupilumab in perennial allergic rhinitis and comorbid asthma. J Allergy Cin Immunol. 2008;142(1):171-7.e1.
- Yu C, Wang K, Cui X, Lu L, Dong J, Wang M, Gao X, *et al*. Clinical efficacy and safety of omalizumab in the treatment of allergic rhinitis: a systematic review and meta-analysis of randomized clinical trials. Am J Rhinol Allergy. 2020;34(2):196-208.
- Zhang K, Li AR, Miglani A, Nguyen SA, Schlosser RJ. Effect of medical therapy in allergic rhinitis: A systemic review and meta-analysis. Am J Rhinol Allergy. 2022;36(2):269-80.

- Zhang Y, Lan F, Zhang L. Advances and highlights in allergic rhinitis. Allergy. 2021;76(11):3383-9.
- 김영효, 이상민, 김미애, 양현종, 최정희, 김동규 외. 임상의를 위한 알레르기 비염 진료 지침: 포괄적 치료 및 특수상황에 대한 고려. J Korean Med Assoc 2017;60(3):257-69.
- 대한비과학회, 최신 임상비과학(보완판) 11. 알레르기 비염의 치료. 군자출판사 2020.

VII

알레르기 비염의 면역요법

알레르기 비염의 면역요법

원저자: 이흥만, 이재서, 김지선, 이현종, 최지호, 한두희
개정판: 홍승노

1. 서론

면역요법은 알레르기의 면역학적 기전을 이용하여 근본적으로 알레르기 질환을 치료하기 위해 고안된 방법이다. 면역요법은 IgE에 의해 매개되는 알레르기 증상 및 염증반응을 일으키는 원인 항원을 환자에게 소량부터 반복적, 점진적으로 증량 주입하여 알레르기 유발 항원에 대한 면역반응을 변화시킴으로써 알레르기 증상 및 염증반응을 호전시키는 방법으로, 1911년 Leonard Noon과 John Freeman에 의해 처음 시도된 이후 현재까지 전 세계적으로 널리 시행되고 있다. 지금까지 발표된 많은 문헌들에 따르면, 면역요법은 알레르기 질환의 자연 경로를 변화시켜 다양한 항원에 의한 알레르기 비염 및 천식, 알레르기 결막염, 곤충독 과민성 등에 효과적인 것으로 보고되고 있다. 특히 알레르기 비염 치료에 있어서 면역요법은 알레르기 비염의 호전과 더불어 새로운 원인 항원 감작에 대한 예방, 향후 천식으로 발전될 위험성 감소 등과 같은 다른 긍정적인 효과가 있는 것으로 알려져 있다. 현재 원인 물질의 노출 경로 또는 방법에 따른 다양한 면역요법들이 시행되고 있지만 여기에서는 주로 시행되는 피하면역요법(subcutaneous immunotherapy, SCIT)과 설하면역요법(sublingual immunotherapy, SLIT)에 대해서 언급하기로 한다.

2. 기전

면역요법의 기전은 아직 명확하게 밝혀지지 않은 상태이나, 지금까지의 관련 문헌들을 정리해 보면 피하면역요법과 설하면역요법의 기전은 매우 유사하며 피하면역요법을 기준으로 한 기전은 다음과 같다.

1) 알레르기 유발 항원에 대한 체액성 및 세포성 면역반응을 변화시키고 말단 기관의 민감도를 감소시킨다.

2) 말단 기관의 민감도 감소는 다음과 같은 내용을 포함한다.
   (1) 피부, 결막, 코점막, 기관지 등의 초기형 및 지연형 반응(early and late response)의 감소(그림 7-1)
   (2) 알레르기 유발 항원에 의해 유도된 호산구, 호염기구, 비만세포 침윤의 감소
   (3) priming 효과의 둔화
   (4) 히스타민에 대한 비특이적 기관지 민감도의 감소

3) 면역요법 시작 초기에는 T 세포 관용(T cell tolerance)으로 정의되는 조절 T 세포(Treg cells)의 증가와 이에 따른 IL-10과 같은 cytokine의 증가와 Th2 세포의 감소가 나타난다(그림 7-1). 면역요법이 지속되는 경우, 항원에 대한 Th2에서 Th1 면역반응으로의 면역반응 치우침(immune deviation)이 발생하게 된다(그림 7-1).

4) 특이 IgE 농도는 치료 초기에는 증가하다가 점차 감소한다. 특이 IgG_4, IgG_1, IgA 농도는 증가한다(그림 7-1). 항체 농도의 이러한 변화들 중 어떠한 것도 임상적인 호전과 일관된 연관성은 없는 것으로 보인다.

5) 항원-특이 IgG 농도의 증가로는 면역요법의 효과 또는 기간을 예측하지 못한다. 그러나 항원에 대한 결합 활성(avidity) 그리고/또는 친화력(affinity)의 변화와 같은 항원-특이 IgG의 기능적 변화는 임상 효과를 결정하는 데 중요한 역할을 할 수 있다.

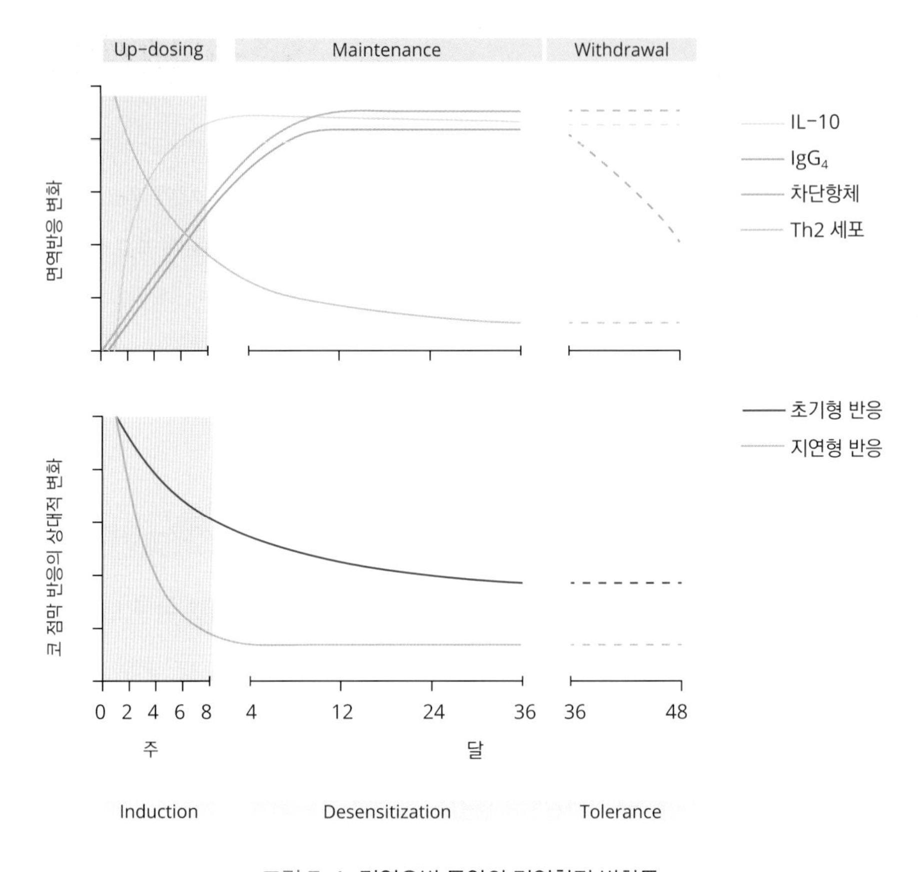

그림 7-1. 면역요법 동안의 면역학적 변화들

3. 적응증 및 금기증

임상적으로 관련 항원에 대한 특이 IgE가 분명히 입증된 경우, 즉 알레르기 유발 항원이 알레르기 피부 반응검사나 혈청검사 등을 통해 증명된 환자는 면역요법의 대상이 될 수 있으며 이러한 환자에게 면역요법을 비롯한 알레르기 비염 치료에 대한 정확한 정보를 제공한 후 환자가 원하는 경우에 시행할 수 있다. 알레르기 비염 면역요법을 시행하기 전에 고려해야 할 사항은 다음과 같다(표 7-1).

표 7-1. 면역요법 시행하기 전에 고려해야 할 사항

• 환자의 선호도/수용성	• 약물 부작용
• 순응도	• 알레르기 비염과 천식의 동반 여부
• 약물 필요량	• 알레르기 비염 환자에서 천식의 예방 가능성
• 회피요법에 대한 반응	• 면역요법의 금기가 될 수 있는 환자의 기저질환

피하면역요법의 적극적인 고려 대상은 1) 항히스타민제나 국소 약물이 증상을 충분히 조절하지 못하는 환자, 2) 약물요법을 더 이상 받고 싶어하지 않는 환자, 3) 약물요법에서 부작용을 보이는 환자, 4) 장기간의 약물요법에 걱정스러워하는 환자이며, 설하면역요법의 적극적인 고려 대상은, 위의 1) - 4)에 더하여 5) 피하면역요법 시행 중 부작용으로 전신 반응이 나타난 환자, 6) 피하면역요법에 순응도가 낮거나 주사치료를 거부하는 환자이다. 면역요법의 대상이 되는 모든 환자에서 이의 실행에 따른 이득과 위험성을 잘 고려해야 한다.

면역요법의 절대적 금기증으로는 악성종양이나 심한 면역질환이 있는 환자, 심하거나 조절되지 않는 천식이 있는 환자 등이며 상대적 금기증으로 위험과 이익을 감안하여 치료를 고려해볼 수 있는 환자에 해당하는 고혈압, 관상동맥질환 등으로 베타-차단제(ß-blocker), ACE 억제제를 복용하여 응급 시 에피네프린의 사용이 불가능한 환자, 부분적으로 조절되는 천식 환자, 정신적 질환이 있거나 순응도가 낮은 환자, 관해 상태의 면역질환이나 면역결핍증, 그리고 면역치료에 대한 전신 반응 과거력이 있는 환자 등이 있다. 또한 5세 이하의 소아 환자에서는 잘 시행되고 있지 않으며(설하면역요법의 경우에는 시행할 수 있음), 임신한 여성에서는 면역요법의 유지는 가능하나 시작은 금기로 되어 있다.

4. 면역요법의 방법

1) 항원 선택

면역치료는 치료제에 포함되어 있는 항원에 특이적이며, 기대하는 효과를 얻기 위해서는 항원 선정이 매우 중요하다. 이중 맹검 대조연구를 통해 면역요법의 임상적 효능이 명확하게 입증된 항원의 종류는 꽃가루, 집먼지 진드기, 바퀴, 벌독(honeybee venom), 곰팡이(Alternaria, Cladosporium), 동물 항원이다.

항원 추출물 성분의 선정은 노출 병력과 증상의 유발 정도, 피부단자검사 및 특이 IgE 검사 결과를 종합하여 환자에게 임상적으로 의미를 가지는 한 종류 혹은 가능한 소수의 항원으로 선택하는 것이 바람직하다.

두 가지 이상의 항원에 대하여 면역요법을 시행할 때 혼합물을 이용하게 되는데 이때 항원 상호 간의 교차반응, 단백분해 효소에 의한 항원의 분해 가능성을 고려해야 한다(표 7-2).

여러 종류의 꽃가루에 동시에 감작된 경우는 항원 간의 교차항원성을 고려하여 교차반응하는 꽃가루 항원 중에서 같은 속(genus)이나 아과(subfamily)에 속하는 꽃가루 하나를 선택하여 면역요법을 시행할 수 있다.

표 7-2. 2가지 이상의 항원 선택 시 고려해야 할 사항

- 목초화분(grass pollen)인 포아풀(Pooideae) 아과(김의털「fescue」, 호밀「rye」, 큰조아재비「timothy」, 왕포아 풀「blue」, 새발풀「orchard」)들은 교차항원성이 강해 대표적인 항원(호밀「perennial rye」, 김의털「meadow fescue」, 큰조아재비「timothy」)을 하나만 선정하여 치료한다.
- 자작나무과(Betulaceae; 자작나무「birch」, 오리나무「alder」, 개암나무「hazel」, 서어나무「hornbeam」, 새우나무「hop hornbeam」)와 참나무과(Fagaceae; 너도밤나무「beech」, 떡갈나무「oak」, 밤나무「chestnut」)는 아주 강한 교차반응을 가지고 있기 때문에 그 지역에서 가장 많이 분포하는 한 가지의 항원으로 두 과를 모두 대표할 수 있다.
- 물푸레나무과(Oleaceae; 서양물푸레나무「ash」, 유럽올리브나무「European olive tree」)도 강한 교차반응을 갖는다.
- 돼지풀과 쑥은 교차항원성이 없으므로 두 항원을 각각 포함시켜야 한다.
- 집먼지 진드기 중 유럽형 집먼지 진드기(D. pteronyssinus)와 미국형 집먼지 진드기(D. farinae)의 주요 항원 간에는 교차항원성이 강하나 일부 항원은 교차항원성이 없는 것으로 알려져 있다. 따라서 일반적으로 면역요법 시 유럽형과 미국형 집먼지 진드기를 같이 포함시킨다. 단백분해효소가 강한 바퀴나 진균류는 다른 항원을 파괴할 수 있으므로 다른 병에 넣어 접종하는 것이 좋다.

설하면역요법 항원의 선정은 피하면역요법과 마찬가지로 환자의 병력과 증상의 유발 정도, 피부단자검사 및 혈청검사 결과, 교차항원성 등을 종합해서 결정하게 된다. 그동안 연구를 통해 평가된 항원으로는 잔디 꽃가루, 돼지풀, 자작나무, 집먼지 진드기, 곰팡이(Alternaria), 고양이털, 벌독, 라텍스 등이 있다.

2) 치료방법

(1) 피하면역요법

피하면역요법은 초기요법과 유지요법으로 나누어진다. 항원 초기요법은 일반적으로 유지용량의 1:10,000-1:1,000에서 처음 치료를 시작하며, 주 1-2회 외래에 방문해서 한번 방문 시 1회 면역치료를 접종하여 환자에 따라 3-6개월이 걸린다. 일반적으로 유지용량에 도달하면 알레르기 비염 환자에서는 2-4주 간격으로 유지용량의 투여가 권장된다. 이 외에 신속하게 유지용량에 도달하기 위해 환자를 입원시켜 단기간에 초기치료를 모두 끝내는 급속 면역요법(rush immunotherapy)이나 한번 방문 시 2-3회 접종하여 신속하게 유지단계에 도달하기 위한 집중 면역요법(cluster immunotherapy)도 있다. 면역요법 주사 간격은 최대의 효과와 안전성을 위하여 각 환자마다 개별적으로 조절할 수 있다.

미국계 회사의 경우 알레르기 역가표준기준(AU: allergic unit)으로 표시되어 항원의 농도를 알 수 있으며 각각의 항원에 대해 미국에서 승인된 항원의 용량이 있다. 유럽에서는 공통의 역가기준 없이 회사 자체의 단위로 농도를 표시하고 있다.

(2) 설하면역요법

의사는 면역요법을 시행하기 전에 환자에게 면역요법의 장점과 위험성에 대해 설명하며, 동의서에는 면역요법에 의해 발생할 수 있는 부작용을 포함해야 한다. 또한, 환자 증상기록지와 비염 증상으로 인한 알레르기 비염 약제 투여일지, 부작용 기록일지를 작성하도록 교육한다. 실제적으로는 환자가 공복 상태에서 혀 밑에 직접 투여하게 되고, 최소 2분 이상 머금고 있어야 한다고 교육하며, 바로 삼키면 효과가 떨어진다는 설명을 해주어야 한다.

3) 제품소개 및 치료일정

현재 국내에서 피하면역요법을 위한 면역치료제로는 영국의 Allergy Therapeutics, 독일의 Allergopharma, 미국의 Hollister-Stier사의 제품이 도입되어 주로 사용되고 있으며, 설하면역요법을 위한 면역치료제로는 용액(설하액) 형태의 스타로랄(보령바이오파마, Stallergenes)과 정제 형태의 액트에어(보령바이오파마, Stallergenes), 라이스(신영로파마, Lofarma), 아카리작스(한국애보트)가 주로 사용되고 있다.

4) 추적관찰과 치료기간

(1) 피하면역요법

환자들은 면역요법을 받는 동안 적어도 6개월이나 12개월에 한번씩 효과 판정, 안정성 강화 및 부작용 감시, 순응도 판정, 면역요법 중단 가능 여부 등을 판단하기 위해 재평가를 한다. 효과적인 면역요법의 중단에 대한 결정은 규칙적으로 면역요법의 치료 반응을 검증하여, 질병의 중증도, 치료를 통한 지속적 이득 여부, 치료의 편의성 등을 고려하여 면역요법을 지속 혹은 중단할지 결정한다. 면역요법이 효과적이면 치료기간은 3년 이상 지속하며 일부는 중단하고도 지속적인 관해 상태를 유지할 수 있으나 일부는 재발할 수 있다. 흡입 항원에 대한 면역요법의 효과적인 치료기간은 아직 명확하게 제시되지는 않지만, 3-5년을 적당한 기간으로 제시한다. 그러나 면역요법을 1년 이상 받았어도 증상의 호전이 없는 경우에는 증상을 유발하는 다른 항원의 존재, 환경에서 항원의 증가, 비특이적 자극 인자 등 효과가 감소할 수 있는 원인을 찾아보고 특별한 원인이 없을 경우 면역요법의 중단을 고려할 수 있다.

(2) 설하면역요법

면역요법을 받는 동안 적어도 2-3개월에 한번씩 추적관찰을 통해, 환자의 증상 변화를 확인하며, 부작용을 관찰하고 환자의 치료순응도를 판정한다. 치료 종료 시점의 선택은 연구에 따라 약간의 차이가 있으나, 중단 후 지속효과를 고려해서 결정하는 것이 중요하다.

집먼지 진드기 알레르기 비염 환자에서 3년간 시행한 군이 2년간 시행한 군보다 더 많은 호전을 보인 바 있으며 최근 한 무작위 대조실험에서는 목초 꽃가루(grass pollen) 면역치료를

2년간만 시행한 군이 대조군(placebo)과 비교하였을 때 3년째에는 알레르기유발 검사에서 차이가 없는 것으로 나타났다. 한 연구에서는 4년 설하면역요법의 경우 3년보다 긴 지속 효과가 있고, 5년 치료의 경우와 유사하였다. 따라서, 종료 후 지속 효과를 고려해 적어도 3년을 지속할 것을 권고하고 약 3-5년이 최소 권장기간으로 제시된다.

5. 면역요법의 효과

1) 피하면역요법

피하면역요법은 소아와 성인 모두에서 곤충독 아나필락시스 및 꽃가루, 곰팡이, 고양이, 개, 집먼지 진드기, 바퀴 등에 의한 알레르기 비염과 천식의 치료에 효과적임이 입증되었다. 알레르기 비염에 대한 면역요법은 3년 이상 충분한 기간 동안 치료하면 이를 중단하더라도 치료효과가 장기간 지속되며, 향후 천식으로 진행되는 위험을 줄여준다. 또한 면역요법은 이미 한 종류의 항원에만 감작된 환자에서 새로운 항원에 감작되는 것을 예방할 수 있다. 음식물 알레르기, 만성 두드러기 및 혈관부종 환자에서는 면역요법이 효과가 없다. 단, 아토피 피부염 환자가 호흡기 항원에 대한 과민성이 동반될 때 제한적으로 효과가 있다. 면역요법의 효과를 측정하는 보다 객관적인 방법은 임상적 증상 점수의 변화, 천식환자의 최대 호기량 및 폐기능 검사의 변화, 약물사용량의 변화를 측정하는 것이다. 일반적으로 면역요법이 성공적으로 진행되면 약물 사용이 감소되며 질병에 의해 감소된 삶의 질도 향상된다.

2) 설하면역요법

면역요법의 효과 판정 기준에 여러 지표가 사용될 수 있지만, 증상의 호전 여부가 가장 중요한 지표이며, 약물사용량의 변화를 포함한 증상 및 약제사용점수(symptom and medication score)를 주로 사용하게 된다. 일반적으로 알려진 설하면역요법의 효과는 다음과 같다(표 7-3).

표 7-3. 설하면역요법의 효과

• 알레르기 비염 증상 호전 및 약물사용량의 감소 • 알레르기 질환의 자연경과 변화 • 천식 및 기도 과민성 발생 예방효과 • 새로운 알레르기 항원 감작 방지 효과 • 사용 중단 후 3년 이상의 지속 효과

설하면역요법의 효과에 대해서 초기에는 많은 논란이 있었으나, 메타분석을 통해 알레르기 천식과 알레르기 비염에 효과적인 치료임이 증명되었다. 사용된 항원의 종류와 용량은 다르지만, 200년 이후 대규모 연구에서 알레르기 질환에 대한 설하면역요법 효과가 입증되었고, 2008년 ARIA 그룹에서는 자작나무(birch), 사이프러스(cypress), 잔디 꽃가루(grass), 올리브(olive), 개물통이(Parietaria) 그리고 집먼지 진드기에 의한 알레르기 비염과 천식에서 설하면역요법의 효과를 인정하고 있다. 집먼지 진드기에 대한 알레르기 비염 환자를 대상으로 한 국내 연구에서도 1년 설하면역요법 후 알레르기 비염의 코 증상과 눈 증상, 수면 장애 증상이 모두 호전되었으며, 알레르기 비염 약제 사용 또한 유의하게 감소하였다.

피하면역요법과 마찬가지로 설하면역요법도 천식의 발병률을 낮추는 효과가 있다. 목초 꽃가루(grass pollen)에 대한 알레르기 비염이 있는 소아 환자를 대상으로 3년 동안 면역요법을 시행했을 때 천식 발생 위험도가 3.8배 감소하였다. 또한, 설하면역요법을 통해 메타콜린에 대한 기도과민성의 발생도 예방하는 효과가 있다. 마지막으로, 설하면역요법군에서 천식을 예방하는 효과뿐만 아니라 새로운 항원에 감작되는 것을 예방하는 효과도 있다.

6. 면역요법의 부작용

1) 피하면역요법

면역요법 시에는 부작용 발생 가능성에 대해서 환자에게 미리 알려주고 조심하도록 교육하는 것이 중요하다. 면역요법 시 부작용 발생의 위험 인자는 다음과 같다(표 7-4).

표 7-4. 면역요법 시 부작용 발생의 위험 인자

- 천식이 심하거나 천식 증상의 조절이 부적절한 경우
- 베타-차단제, 앤지오텐신전환 효소억제제를 사용하는 경우
- 면역요법 일레르기 항원 용량이 높은 경우
- 급속 면역요법(rush immunotherapy)을 하는 경우
- 새로운 면역치료 시약병으로 접종하는 경우

면역요법에 의한 국소 부작용은 주사 부위의 가려움, 부종 등이며 대개는 냉찜질 등으로 가라앉는 경우가 많으나 빈번하게 광범위 국소 반응이 발생하는 환자들에서 전신 반응이 일어날 위험성이 높으므로 주의해야 한다. 면역요법에 의한 전신 반응의 분류는 다음과 같다(표 7-5).

표 7-5. 면역요법에 의한 전신 반응의 분류

- 0: 아무런 증상이 없거나 면역요법으로 인한 증상이 아닌 경우
- I: 경도의 전신 반응; 국소적 두드러기, 비염, 경도의 천식[기저치에서 최대호기류(peak expiratory flow) < 20% 감소]이 발생
- II: 중등도 전신 반응; 전신 두드러기와 (혹은) 중등도 천식(기저치에서 최대호기류 < 40% 감소)이 치료 뒤 15분 이후에 지연 발생
- III: 중증(생명을 위협할 정도는 아닌) 전신 반응; 전신 두드러기, 혈관부종 혹은 심한 천식(기저치에서 최대호기류 > 40% 감소)이 치료 뒤 15분 이내 빠르게 발생
- IV: 아나필락시스 쇼크 치료 뒤 바로 가려움, 안면홍조, 전신 두드러기, 천명(혈관부종), 천식, 저혈압 등이 생길 때

전신 부작용으로는 비염이나 천식의 발작, 복통, 구토, 두통이나 관절통, 아나필락시스 등이 있으며 대부분의 경우 면역요법 주사 후 전신 부작용이 발생하기까지 걸리는 시간은 30분 이내이다. 그러므로 피하 주사 후에 환자가 병원에서 30분 이상 대기하여 부작용 발생 여부를 확인한 후에 귀가하도록 하고, 면역주사실에는 응급 상황에 대처할 수 있도록 1:1,000 에피네프린, 산소, 정맥주사액, 항히스타민제를 항상 준비해 놓아야 하며, 부작용 발생 시 투여해야 한다. 지난번 접종 시 부작용이 발생하였거나 급성 천식발작, 감기 등 다른 질환이 발생하였을 때에는 접종 용량을 줄여야 한다.

2) 설하면역요법

설하면역요법이 기존 피하면역요법에 비해 갖는 장점 중의 하나는 보다 안전하다는 것이다. 다만, 환자가 가정에서 직접 투약하기 때문에 발행할 수 있는 부작용과 대처방안에 대해 반드시 환자에게 미리 설명해 주어야 한다. 가장 흔한 부작용은 구강 내 가려움 및 부종과 같은 국소 자극증상과 구역, 구토, 설사, 복통과 같은 위장관계 부작용으로 모두 보존적인 치료로 호전되거나, 저절로 호전되는 양상을 보인다. 심한 전신 반응의 대부분은 천식 증상의 악화이며, 현재까지 설하면역요법 후 아나필락시스가 발생한 경우는 극히 드물며 이로 인한 사망 사례는 보고된 바 없다. 기존에 전신 부작용으로 피하면역요법을 중단한 경험이 있는 환자에서는 설하면역요법에서도 유사한 부작용이 발생할 수 있다.

7. 아나필락시스 발생 시 응급처치

아나필락시스 발생 시 응급처치는 다음과 같다(표 7-6).

표 7-6. 아나필락시스 발생 시 응급처치

1. **활력징후를 측정**
2. 필요 시 심폐소생술을 시행
3. **1:1000 에피네프린(epinephrine) 0.3-0.5 ㎖를 피하주사 또는 근주**
4. 심혈관 쇼크인 경우, 1:100,000 에피네프린 10 ㎕를 10분에 걸쳐 정주
5. 기도확보(기관내삽관 또는 기관절개술)
6. **정맥혈관 확보** 순환 혈액량의 유지(500-2,000 ㎕/h 5% dextrose add plasma expander 정주)
7. 혈압유지 도파민(dopamine, 2-20 ㎍/㎏/min) 또는 노르에피네프린(norepinephrine, 4-8 ㎍/㎏/min) 정주 후 혈압조절
8. **항히스타민제 투여** H_1-수용체 길항제(H_1-receptor antagonist) 예) diphenhydramine 25-50 ㎍를 5-10분에 걸쳐 정주 H_2-수용체 길항제(H_2-receptor antagonist) 예) cimetidine 근주

9. 기관지경련 치료
   베타2 작용제 예) albuterol theophylline 4-7 ㎍/㎏ 정주
   천식발작이 있는 경우 short-acting 기관지 확장제(ventolin)을 흡입
10. **당류코르티코이드(glucocorticoids): hydrocortisone 100mg 정주 또는 근주**
11. 글루카곤(glucagon) 5-15 ㎍/min 정주
12. **최소 4-5시간 동안 관찰**
13. **퇴원 시 아나필락시스 재발에 대한 환자교육**

• 굵은 글씨 – 아나필락시스 응급치료 시 일반적으로 시행하는 중요 과정

면역요법에 의해 유도된 전신 반응, 즉 아나필락시스의 1차 치료는 에피네프린이며, 아나필락시스가 발생하여 생명이 위급한 상황에서 에피네프린 투여에 대한 금기 사항은 없다. 아나필락시스로 사망한 경우들을 분석해보면 대개 에피네프린 투여가 지연된 경우, 심각한 호흡기 또는 심혈관계 합병증이 있는 경우이므로 아나필락시스 치료에 있어 에피네프린을 가능한 빨리 투여하는 것이 매우 중요하다. 증상 조절 및 혈압 상승을 위해 에피네프린(aquous epinephrine, 1:1,000 dilution, 0.3-0.5 ㎕「소아 0.01 ㎍/㎏」)을 필요에 따라 5분마다 투여하는데 의사의 재량에 따라 5분보다 자주 투여할 수도 있다.

8. 소아에서의 면역치료

소아에 대한 면역요법은 치료 효과가 높고 나이에 따른 제한은 없으며 치료방법은 성인과 유사하다. 따라서, 소아에게서 나타날 수 있는 알레르기 비염, 천식, 벌독 아나필락시스 등에 약물치료나 항원 회피 요법과 함께 면역요법을 고려해야 한다. 면역요법은 항원에 대한 과민반응의 재발이나 천식으로의 진행을 막을 수 있으며 ARIA 권고에 따르면, 소아에서 목초화분 항원에 대해서는 설하면역치료의 유의한 치료성적이 보고되었지만, 집먼지 진드기 항원에 대해서는 아직까지 연구 결과가 부족하다.

설하면역요법의 큰 장점 중의 하나는 고용량이지만 안전하며 중대한 부작용이 적다는 점이다. 안전성과 관련된 전향적인 여러 연구결과들을 종합해 볼 때 설하면역요법은 5세 미만의 어린이에도 적용될 수 있다.

References

- Akdis M, Akdis CA. Mechanisms of allergen-specific immunotherapy. J Allergy Clin Immunol 2007;119(4):780-91.
- Alvarez-Cuesta E, Bousquet J, Canonica GW, Durham SR, Malling HJ, Valovirta E. Standards for practical allergen-specific immunotherapy. Allergy 2006;61(Suppl 82):S1-20.
- Bousquet J, Demoly P, Michel FB. Specific immunotherapy in rhinitis and asthma. Ann Allergy Asthma Immunol 2001;87(1 Suppl1):38-42.
- Bousquet J, Lockey R, Malling HJ, Alvarez-Cuesta E, Canonica GW, Chapman MD, *et al*. Allergen immunotherapy: therapeutic vaccines for allergic diseases. World Health Organization. American academy of Allergy, Asthma and Immunology. Ann Allergy Asthma Immunol 1998;81(5):401-5.
- Brozek JL, Bousquet J, Baena-Cagnani CE, Bonini S, Canonica GW, Casale TB, *et al*. Allergic Rhinitis and its Impact on Asthma (ARIA) guidelines: 2010 revision. J Allergy Clin Immunol 2010;126(3):466-76.
- Canonica GW, Bousquet J, Casale T, Lockey RF, Baena-Cagnani CE, Pawankar R, *et al*. Sub-lingual immunotherapy: World Allergy Organization Position Paper 2009. Allergy 2009;64(Supple 91):1-59.
- Cox L, Nelson H, Lockey R, Calabria C, Chacko T, Finegold I, *et al*. Allergen immunotherapy: a practice parameter third update. J Allergy Clin Immunol 2011;127(1 Suppl):S1-55.
- Halken S, Larenas-Linnemann D, Roberts G, Calderon MA, Angier E, Pfaar O, *et al*. EAACI guidelines on allergen immunotherapy: Prevention of allergy. Pediatr Allergy Immunol. 2017;28(8):728-45.
- Roberts G, Pfaar O, Akdis CA, Ansotegui IJ, Durham SR, Gerth van Wijk R, *et al*. EAACI Guidelines on Allergen Immunotherapy: Allergic rhinoconjunctivitis. Allergy. 2018;73(4):765-98.
- Robinson DS, Larche M, Durham SR. Tregs and allergic disease. J Clin Invest 2004;114(10):1389-97.
- Shamji MH, Durham SR. Mechanisms of allergen immunotherapy for inhaled allergens and predictive biomarkers. J Allergy Clin Immunol. 2017;140(6):1485-98.
- Wallace DV, Dykewicz MS, Bernstein DI, Blessing-Moore J, Cox L, Khan DA, *et al*. The diag-

nosis and management of rhinitis: an updated practice parameter. J Allergy Clin Immunol 2008;122(2 Suppl):S1-84.

- Zuberbier T, Bachert C, Bousquet PJ, Passalacqua G, Walter Canonica G, Merk H, *et al*. GA(2) LEN/EAACI pocket guide for allergen-specific immunotherapy for allergic rhinitis and asthma. Allergy 2010;65(12):1525-30.

VIII

알레르기 비염의 수술요법

알레르기 비염의 수술요법

원저자: 백병준, 김성식, 정영준, 정진혁
개정판: 위지혜

알레르기 비염에서는 여러 가지 염증 혹은 신경성 매개물질들의 분비 증가로 비강 점막의 기저막 하부에 콜라겐 침착, 점막하 내 분비선의 증가, 혈관 확장이나 혈관 투과성의 증가 등으로 인해 비갑개 비후가 발생할 수 있다. 이와 같은 비갑개 비후는 하비갑개에서 주로 발생하며 이로 인한 코막힘은 알레르기 비염 증상들 중 약물치료로는 치료하기 가장 어렵다. 일반적으로 하비갑개 비후의 보존적 치료로는 비점막 혈관수축제의 경구 복용, 국소 스테로이드제의 비강 분무, 스테로이드의 하비갑개 주사 등이 있으며, 이러한 치료에 잘 반응하지 않거나 만족스럽지 못할 경우 수술적 치료를 생각할 수 있다. 알레르기 비염 수술 중 하나인 하비갑개 수술의 목적은 하비갑개의 부피를 감소시켜 비강 기도를 넓혀 호흡을 원활하게 하기 위한 것이다. 이때 수술에 따른 출혈이나 비가역적인 비강 건조, 가피 형성, 악취 등의 합병증이 발생하지 않도록 하는 것이 중요하다. 이 외에도 비중격 만곡증이 동반된 경우 비중격 성형술도 같이 시행되고 있으며 과도한 비루를 개선하기 위한 수술 등도 시행되고 있다.

1. 하비갑개 수술

1) 수술 전 고려 사항

수술 전에 하비갑개 비후의 원인이 점막 비후에 의한 것인지 혹은 비갑개골의 비대에 의한 것인지를 감별하여야 한다. 이를 위하여 코점막 수축제를 분무한 후 하비갑개 부피가 많이 줄어들면서 코막힘 증상도 많이 개선되는 경우 그 원인이 점막 비후에 의한 것으로 판단할 수 있으며 부피 변화가 별로 없다든지 증상 개선이 충분치 않은 경우 비갑개골의 비대에 의한 원인으로 생각할 수 있다. 음향비강통기도검사 혹은 비강통기도검사는 객관적으로 점막 수축 전후의 차이를 보는 데 도움이 되며, 경우에 따라서는 영상사진(단순 X-ray, CT)도 감별에 도움이 될 수 있다.

비주기(nasal cycle)에 의한 점막 종창의 영향도 항상 고려하여야 하며 소아는 성장기라는 점, 노인은 전반적으로 코의 기능이 저하되어 있다는 점도 고려해야 한다.

2) 마취

1:100,000 에피네프린과 2% 리도카인을 섞은 용액을 면거즈에 묻혀 하비갑개의 앞쪽과 내측면을 따라 약 10-15분간 비강에 넣어둔다. 또는 이 용액을 내시경으로 관찰하며 양측 접구개신경절에 주사하여 마취하기도 한다.

3) 수술 종류

(1) 외향 골절술(Lateral outfracture)

하비갑개가 전반적으로 비중격 쪽으로 편위되어 있거나 하비갑개 비후의 원인이 주로 골부일 경우에 일부 효과적일 수 있다.

적절한 거상기(Boies or Freer elevator)나 장비경(long bladed speculum)을 이용하여

비갑개를 비강 측벽 쪽으로 밀어주어 골절시키는 방법과, 비갑개를 상내측 방향으로 밀어주어 골절을 시킨 후 다시 반대방향인 하외측으로 밀어주어 비갑개골을 완전하게 골절시키는 방법이 있다(그림 8-1). 외측으로 골절된 하비갑개가 새로운 위치를 유지하기 위하여 일정 기간 코팩킹이 필요하다.

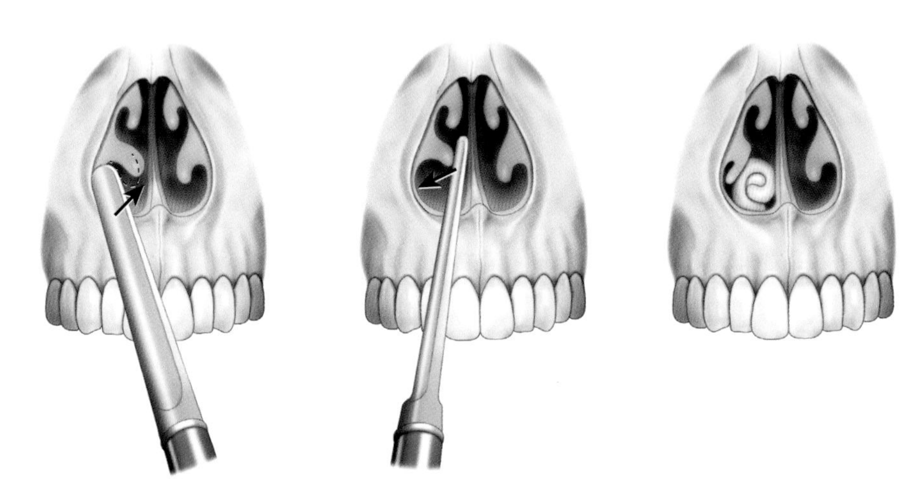

그림 8-1. 하비갑개 외향 골절술. 하비갑개를 골절시켜서 외측벽을 향하게 재배치시킨다.

간단하게 시행할 수 있고 특별한 합병증이 동반되지 않는 장점이 있으나, 효과가 크지 않기 때문에 대부분 단독으로 시행하기보다는 다른 술식과 병행하여 시행되는 경우가 많다. 불완전 골절일 경우 원래 위치로 돌아갈 가능성이 많으나, 완전히 골절시킬 경우 시술 후 6개월까지는 새로운 위치를 유지하는 것으로 알려져 있다.

(2) 점막하 비갑개 절제술(Submucosal resection of turbinate)

하비갑개 비후의 원인이 골부에 의한 경우 시행한다. 적절한 마취 후 하비갑개의 전반적 상태를 잘 관찰하고 쉽게 절개선을 가하기 위해 거상기를 이용하여 하비갑개를 내측으로 부분 골절시킨다. 하비갑개 뒤쪽에서 앞쪽으로 아래면을 따라 수직 절개선을 가하고, 날카로운 거상도구를 이용하여 비갑개골 내측 및 외측면으로부터 점막골막(mucoperiosteum) 피판을 거상한다. 비갑개골을 골절시키고 비갑개 가위를 이용하여 골 일부를 제거한다. 점막골막 피판을 조심스럽게 보존하여 하비갑개의 외측방향으로 골부가 노출되지 않도록 잘 덮어준다.

하비갑개의 후방 부분은 외측으로 골절시킨다. 약 24-48시간 동안 코팩킹하여 치유되도록 한다(그림 8-2).

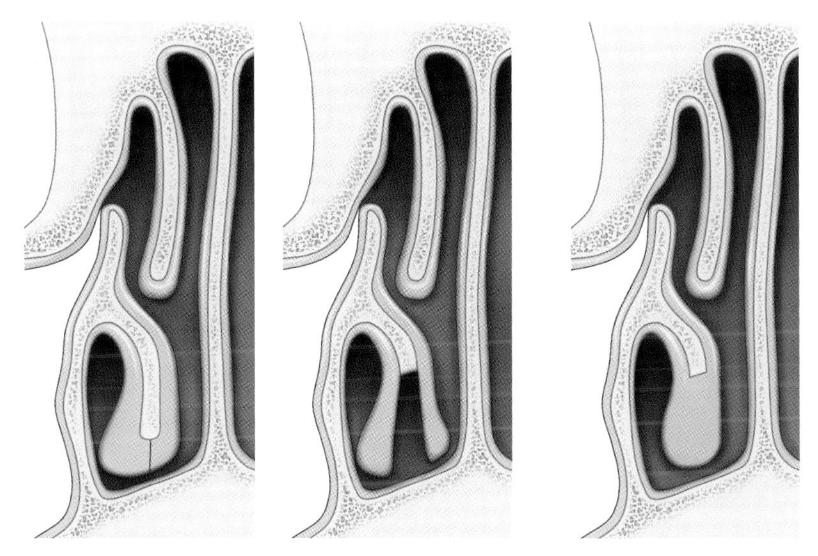

그림 8-2. 점막하 비갑개절제술. 하비갑개골을 노출시킨 후 일부분을 제거하고 골부가 노출되지 않도록 점막을 덮어준다.

하비갑개 비후의 원인이 점막 및 골부에 의한 경우 시행하며, 하비갑개의 부피를 줄이는 보다 보존적인 술식으로 비강 기능의 보존 측면에서 좋은 결과를 보인다. 하비갑개 성형술(Inferior turbinoplasty)라는 용어로 술식이 재정립되었다. 적절한 마취 후 하비갑개의 전반적 상태를 잘 관찰하고 쉽게 절개선을 가하기 위해 거상기를 이용하여 하비갑개를 내측으로 골절시킨다. 하비갑개 전방부 점막에 절개선을 가하고 뒤쪽에서 앞쪽으로 아래면을 따라 수직 절개선을 그은 후, 날카로운 거상도구를 이용하여 비갑개골 내측 면으로부터 점막골막 피판(mucoperiosteum flap)을 거상한다. 내측 점막골막 피판은 보존하면서 비갑개골과 골에 붙어있는 하외측 점막을 비갑개 가위를 이용하여 한꺼번에 필요한 만큼 제거한다. 거상시켰던 피판으로 남아있는 비갑개골을 덮어주어 비갑개골이 비강 내로 노출되지 않게 해준다. 약 24-48시간 동안 코팩킹하여 치유되도록 한다(그림 8-3).

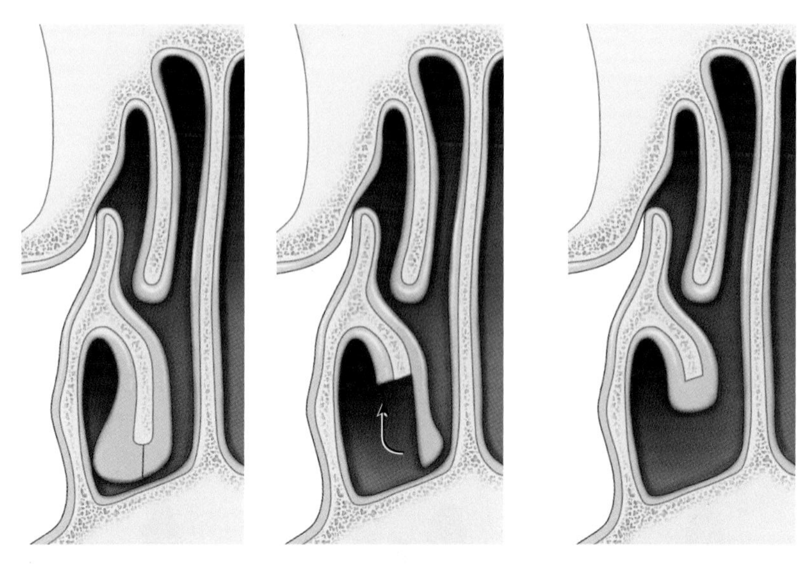

그림 8-3. 하비갑개 성형술. 내측 점막골막 피판은 보존하면서 비갑개골과 골에 붙어있는 하외측 점막을 필요한 만큼 제거한다.

이 술식은 점막을 보존하는 장점이 있으나 후방부 제거 시에는 출혈 가능성이 높으므로 유의하여야 한다. 골이 노출될 위험성이 있으며 이로 인한 골염 증상 즉 지속적 가피, 출혈, 악취 등이 나타날 수 있다.

(3) 흡입절삭기(Microdebrider)를 이용한 하비갑개 수술

하비갑개의 외측이나 하부 점막을 직접 절삭하는 외부 접근법도 있으나 내부 접근법으로 시행하는 경우가 일반적이다. 하비갑개 비후의 원인이 점막 및 골부에 의한 경우 시행 가능하며 골부가 비후되어 있으면서 점막이 얇은 경우는 적응증이 안된다. 내시경을 보면서 필요한 부위를 비교적 정확하게 제거할 수 있고 시술 직후 크기 감소를 바로 알 수 있으며, 하비갑개의 후방부도 안전하게 제거할 수 있고 수술 후 출혈, 가피 형성, 유착 등의 발생 빈도가 비교적 적은 장점이 있으나 microdebrider tip 사용으로 인한 경제적 부담이 있을 수 있다. 비갑개 내부 접근법(intraturbinal approach)은 하비갑개 전면에 수직으로 절개선을 가한 후 하비갑개 내측면에 점막하 포켓을 만든다. Microdebrider blade를 포켓에 넣고 필요한 만큼의 점막하 조직을 제거하며 이때 blade의 방향은 점막의 반대편을 바라보게 한다. 또한 골부도 적절한 기구를 이용하여 일부 제거할 수 있다. 필요시 흡인 전기소작기로 지혈을 하고 절개선을 닫을 필요는 없으며, 약 24시간가량 코팩킹을 한다(그림 8-4).

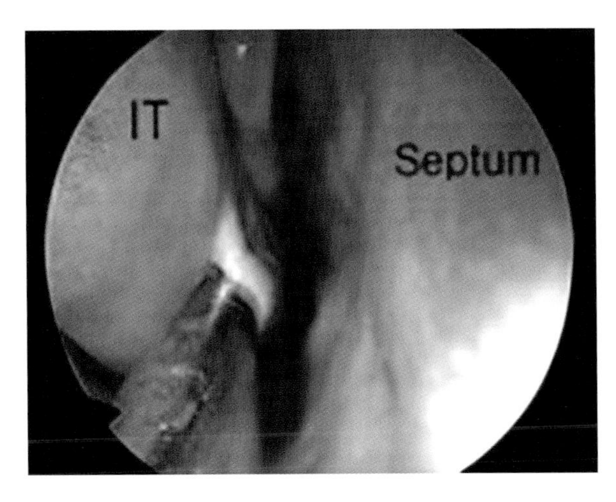

그림 8-4. Microdebrider를 이용한 비갑개 성형술. 하비갑개 내측면에 점막하 포켓을 만든 후 필요한 만큼의 점막하 조직을 제거한다. IT: inferior turbinate

(4) 고주파 절제술(Radiofrequency ablation)

라디오 주파수대역(10 kHz-300 MHz)의 전류를 이용하여 조직을 제거하는 수술로서, 탐침을 통하여 생체 조직 내로 고주파의 교차 전류를 흘려보냄으로써 이온들의 운동성을 증가시켜 마찰열에 의하여 국소적인 온도 상승을 유발한다. 열 손상 받은 부위의 상처 치유과정에서 약 12일 후 콜라젠이 침착하기 시작하고 3주 후 만성 염증과 섬유화 및 위축이 발생하여 결국 조직의 부피 감소를 유발하게 된다. 단극, 양극 모두 가능하고 양극이 부피 감소가 더 잘되어 선호되기도 하나 어떤 술식이 우위에 있는지는 논쟁 중이다.

전통적인 점막하 열치료(submucosal diathermy)에 사용되는 전기소작(450-600℃)이나 레이저(300-600℃)에 비해 상대적으로 낮은 40-100℃의 저온의 열을 발생시킴으로써 병변 주위에 대한 열 손상이 적고, 하비갑개 점막하층에서 작용하므로 점막표면의 손상을 최소화할 수 있다 고주파 절제술에 사용되는 수술 장비들은 다음과 같다(표 8-1).

표 8-1. 고주파 수술 장비 종류

Generator 종류	사용 주파수(kHz)	극성	제조회사
Somnoplasty	465	단극성	Somnus Medical Technologies
Surgitron	4,000/1,700	단극성/양극성	Ellman International Inc
Celon	500	양극성	Olympus
Coblator	100	양극성	ArthroCare

Coblator는 전극과 조직 사이에 전기 전도성 물질 즉 등장성 식염수나 식염수젤을 사용한다. 이런 전도물질에 낮은 주파수대의 전기를 흐르게 하면 전도물질이 플라즈마(plasma)라고 하는 이온화된 증기층으로 변화되며 플라즈마 내의 활성 입자들이 조직 내의 분자구조를 끊어 그 결과 조직이 제거되는 효과가 나타난다. 주위 조직의 온도는 40-70℃로 조직에 대한 영향이 상대적으로 적은 편이다.

국소마취 후 하비갑개에 생리식염수를 주사한다. 전극을 하비갑개 점막하에 위치시키고(한 곳 혹은 두 곳)(그림 8-5), 적절한 전류세기로 수 초에서 수 분간 전류를 흐르게 한다(그림 8-6). 시술을 마치고 리도케인과 에피네프린 섞인 용액을 묻힌 면구를 전극을 삽입했던 위치에 5분-10분간 위치시키며 코팩킹은 필요시에 시행한다.

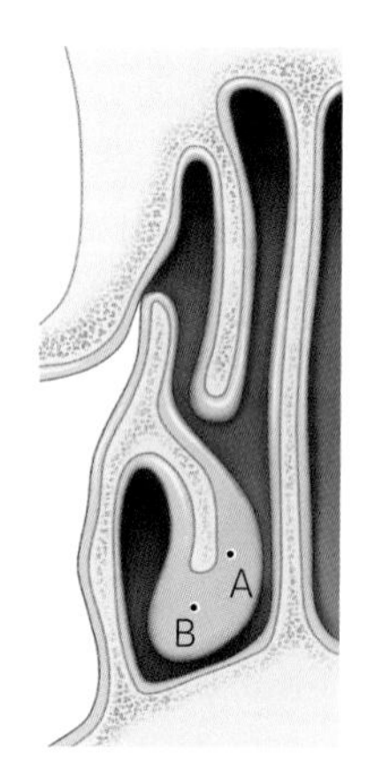

그림 8-5. 라디오파 절제술 시 전극 삽입위치.
A: 하비갑개 내측이면서 비중격과 평행, B: 하비갑개 하부이면서 비강저와 평행

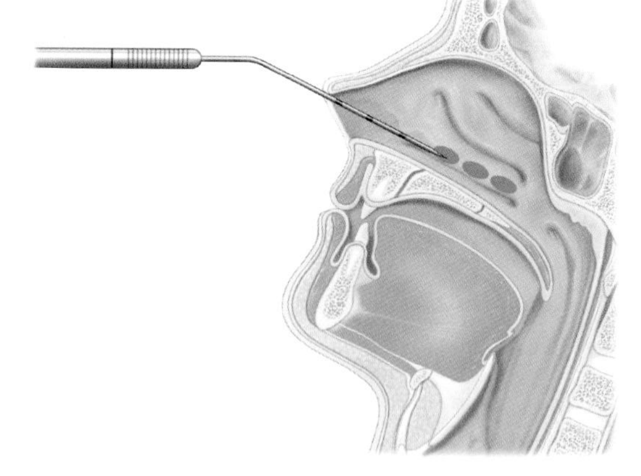

그림 8-6. 라디오파 절제술.
전극을 하비갑개의 원하는 부위에 위치시킨 후 ablation pedal을 수 초간 밟는다. 필요한 경우 전극을 하비갑개의 뒤에서 앞으로 빼면서 적절한 부위에 위치시킨 후 같은 과정을 밟는다.

외래에서 국소 마취로 시술 가능하며 점막의 보존을 통한 섬모 기능을 유지할 수 있다는 장점이 있고 다른 술식에 비해 출혈, 가피 형성, 통증 등이 경미하다. 그러나 전극이 점막하에 위치하기 때문에 조직에 대한 효과를 예측하기 어려워 과소 혹은 과다한 치료를 할 가능성이 높은 단점이 있으며 시술 중 통증, 저림 증상, 전극 삽입 부위에서 경미한 출혈 등이 발생할 수 있다.

(5) 점막하 열치료(Submucosal diathermy)

라디오파 수술 장비들에 비해 고열이 발생되어 시술 후 골 괴사, 비루, 가피 형성 등의 가능성이 높으나 다루기 편하고 가격이 저렴한 장점도 있다. 단극성, 양극성이 있으며 전극 2개가 있는 양극성이 단극성에 비해 조직에 정확한 열 전달을 할 수 있고 보다 안전하다. 바늘전극을 점막하로 삽입할 때 삽입 부위에서의 출혈을 방지하기 위해 삽입 부위를 먼저 응고시킨 후 진행할 수 있고 바늘전극을 비갑개골에 닿지 않게 삽입한다.

전기수술에 사용되는 전극의 경우 단극성 전극은 주위 근육이나 신경을 자극하는 경우도 있으나 양극성 전극은 이런 단점을 최소화할 수 있으며 전자기 방해(electromagnetic interference)로 인해 pacemaker, cardiac device, cochlear implant 사용자에게는 단극성 전극을 사용하는 것은 삼가는 것이 좋고 양극성 전극의 도구를 사용하는 것이 추천된다.

(6) 하비갑개 전절제술(Total turbinectomy)

비갑개 가위(turbinate scissor)를 이용하여 하비갑개를 전체 또는 부분 (점막 혹은 골을 포함한 점막) 절제하는 방법으로, 절제된 골 부위가 노출될 경우 출혈이나 감염에 의한 골염이 발생할 수 있으며 여러 연구에서 술후 합병증으로 위축성 비염을 동반한 악취와 비강 건조, 가피 형성, 출혈 등 빈코 증후군(Empty nose syndrome)이 흔히 나타나는 것으로 조사되어 현재 거의 사용되지 않는 술식이다.

(7) 레이저 하비갑개 성형술(Laser turbinoplasty)

1977년 Argon 레이저가 처음으로 하비갑개 수술에 도입된 이후 CO_2 레이저, KTP 레이저, Nd:YAG 레이저, Diode 레이저, Ho:YAG 레이저 등이 사용되고 있다. 레이저는 사용되는 매질에 따라 기체 레이저(CO_2, Argon, He-Ne), 고체 레이저(Nd:YAG, Ho:YAG), 반도체 레이저(Diode), 액체 레이저(Dye) 등으로 나눌 수 있으며 사용되는 매질에 의해 레이저의 파장, 빛의 색깔 등이 결정된다. 레이저 광선이 생체조직에 영향을 미치기 위해서는 반드시 조직에 흡수되어 열로 전환되어야 하는데 조직에 대한 영향은 레이저의 파장과 조직에서의 흡수 정도 및 조사방식 등에 달려있다. 비갑개 수술에 사용되는 레이저로는 다음과 같은 것들이 있다(표 8-2).

표 8-2. 비갑개 수술에 사용되는 레이저 종류

레이저 매질	빛의 파장(nm)	사용모드	조직 침투(mm)
Argon	488/514	연속	0.3-2
KTP	532	펄스	0.3-2
Diode	810/940	연속	1-3
Nd:YAG	1,064	연속/펄스	3-5
Ho:YAG	2,090-2,120	펄스	0.34
CO_2	10,600	연속/펄스	0.77

① Argon 레이저

헤모글로빈과 멜라닌에 흡수가 잘 되어 혈관기형, 비출혈 치료에 효과적이며 하비갑개에선 정맥총에 작용하여 해면체(cavernous body)를 축소시키는 효과가 있다. 조직 침투는 2 mm 까지 가능하고 응고 능력이 좋으며 기화(vaporization) 시 연기가 덜 발생한다. 단점은 크고 이동하기 어려우며 비싸다.

② KTP 레이저

헤모글로빈에 흡수되고 Argon 레이저와 비슷한 응고능력이 있어 비후성 비염, 혈관질환 치료에 유용하며 점막하 시술법도 보고되고 있다.

③ Nd:YAG 레이저와 Diode 레이저

물이나 조직 단백질, 혈액에 잘 흡수되지 않아 조직 깊은 곳까지 침투가 가능하다. Nd:YAG 레이저는 조직 침투가 3-5 mm까지 이루어져 하비갑개 정맥총에 이르는 부위까지 응고가 가능하며 주위 조직을 응고시키는 능력이 크다. 점막 표면은 손상을 주지 않기 때문에 다른 레이저에 비해 가피가 적게 발생하나 술후 종창이 비교적 오래까지 지속되는 단점이 있다. 최근에는 주위 조직의 열응고와 조직괴사 등의 단점이 보완된 접촉형도 사용되고 있다.

Diode 레이저는 Nd:YAG 레이저 같이 비후성 비염 치료에 효과적이고 지혈능력도 좋으면서 Nd:YAG 레이저에 비해 조직 침투 깊이는 짧다. 다른 레이저에 비해 현저하게 가벼우며 유지비가 적게 들어가는 장점이 있다.

④ Ho:YAG 레이저

물에 잘 흡수되고 뼈와 조직의 절제에 유용하며 지혈이 잘 된다.

⑤ CO_2 레이저

물에 잘 흡수되며 핸드피스를 이용하여 초점거리를 임의로 조절해 사용할 경우 조직의 절개 및 조직표면 기화증발에 유용하다. 그러나 조직 침투가 0.1 mm이고 주위 조직으로의 열 응고 작용이 0.5 mm 이내에서 일어나기 때문에 지혈 능력은 떨어진다. 4-7 Watt 강도에서 연속, 비초점 및 비접촉 양식으로 하비갑개 점막 표면에 레이저를 조사하고 코팩킹은 시행하지 않는다.

레이저 조사 방법은 전-후방 줄무늬법(anterior-to-posterior stripes), cross-hatching법 등을 많이 사용하고 경우에 따라 비갑개의 전방부나 하방부에만 국소적으로 사용하거나 혹은 전체 점막표면에 조사할 수도 있다(그림 8-7). 레이저 수술법은 비교적 점막의 생리기능을 보존할 수 있는 방법이지만 많은 부위를 제거할 경우 손상이 클 수 있고, 점막을 거상한 후 점막하 조직에만 레이저를 조사할 수도 있다. 환자와 술자는 보안경을 착용해야 하며 Argon, KTP, Nd: YAG 레이저의 경우 파장에 적합한 보안경을 써야한다. 수술시야에서 생기는 연기는 레이저 효과를 감소시킬 뿐 아니라 국소 마취하에 시술할 경우 환자에게 오심, 기침 등을 유발할 수 있어 가능한 빨리 흡인하는 것이 좋다.

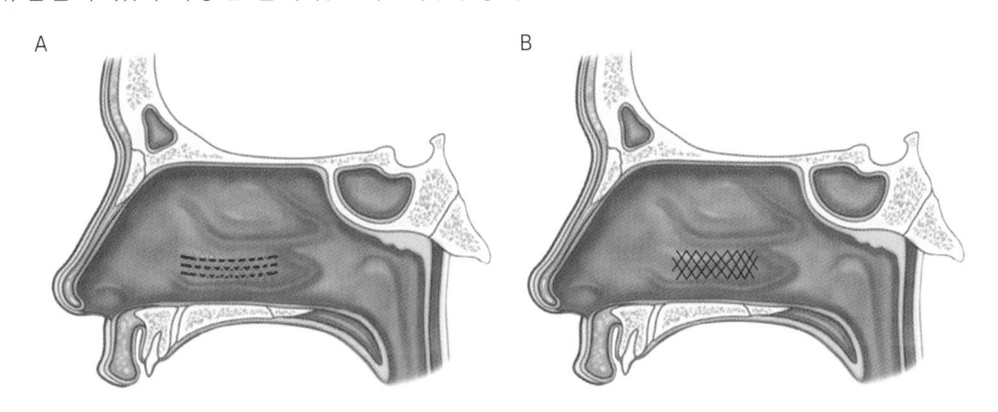

그림 8-7. 레이저 조사 방법. A: 전-후방 줄무늬법, B: cross-hatching법.

(8) 전기소작술(Electrocauterization), 화학 소작술(Chemical cauterization)

점막표면 소작술로 점막표면 투열요법, 질산은을 이용한 화학 소작술이 하비갑개 부피 감소를 위해 드물게 사용되고 있다.

4) 하비갑개 수술 후 결과

일반적으로 비갑개 수술 후의 증상 호전의 기전은 상처 치유 과정에서 점막하 내 섬유화 및 반흔조직 형성으로 인해 비갑개 점막의 부피 감소가 나타남으로써 비강 통기성(nasal patency)이 증가함은 물론 항원과의 접촉 면적이 감소되고 점막하 내의 혈관이나 분비선의 수가 감소되며 또한 자율신경과 감각신경들의 손상을 초래하여 코막힘 이 외에도 재채기, 콧물, 비소양감 같은 알레르기 증상들을 개선시킬 수 있는 것으로 알려져 있다.

2. 알레르기 비염에서의 비중격 성형술

알레르기 비염 환자에서 비중격 만곡증이 동반된 경우 하비갑개 성형술과 함께 비중격 성형술을 시행하면 증상 개선이나 원활한 비강 내 분무제 투여 등 치료에 도움을 줄 수 있다.

3. 과도한 비루를 개선하기 위한 수술

점액을 분비하는 점액선은 주로 부교감신경의 흥분에 의하여 조절된다. 혈관운동성 비염이나 알레르기 비염 환자의 과도한 비루를 해결하기 위해 시행되어 왔던 익돌관신경절제술(vidian neurectomy)은 수술 후 눈물분비의 감소나 건조 각결막염, 감각이상, 일시적 혹은 영구적 안구마비 등 심각한 부작용을 유발하기 때문에 요즘은 잘 사용하지 않고 있다. 대신 posterior nasal nerve를 냉동절제하거나 posterior nasal nerve의 말단 분지를 선택적으로 절제하는 방법을 사용하기도 하는데 이런 술식들은 눈물샘을 지배하는 신경을 보존하는 술식이므로 수술 후 눈물분비 감소 같은 합병증이 없으며 수술 중 경미한 출혈 이외에는 특별한 합병증이 없는 것으로 알려져 있다.

4. 비중격 비후에 대한 수술

비중격 비후는 알레르기 비염이 없는 비갑개 비후 환자보다 알레르기 비염이 동반된 비갑개 비후 환자에서 더 많이 관찰되는 것으로 알려져 있다. 이는 대개 연조직의 심한 비후 때문이며 일반적으로 비중격 상부에 발생하나 서골의 후부에서도 점막 비후를 볼 수 있다. 또한 비중격 연골과 사골 수직판 사이에서 구조적 비후를 관찰할 수 있다. "Septal turbinate" 혹은 "Septal swell body"라고 부르기도 하며, 아직 명확하게 밝혀지지는 않았지만 조직학적으로 하비갑개와 유사하게 정맥동과 분비샘 조직이 존재하는 것으로 보고되었으며, 이 부위의 비후가 코막힘을 유발할 수 있다. 이에 대해 비후된 점막을 전기 소작하거나 고주파 수술을 하기도 하며 흡입절삭기로 절제하기도 한다.

References

- Abdullah B, Singh S. Surgical interventions for inferior turbinate hypertrophy: A comprehensive review of current techniques and technologies. Int J Environ Res Public Health. 2021;18(7):3441.
- Acevedo JL, Camacho M, Brietzke SE. Radiofrequency ablation turbinoplasty versus microdebrider-assisted turbinoplasty: A systematic review and meta-analysis. Otolaryngol Head Neck Surg. 2015;29(2):314-5.
- Barham HP, Knisely A, Harvey RJ, Sacks R. How I Do It: Medial Flap Inferior Turbinoplasty. Am J Rhinol Allergy. 29(4):314-5.
- Bergmark RW, Gray ST. Surgical management of turbinate hypertrophy. Otolaryngol Clin North Am. 2018;51(5):919-28.
- Bhandarkar ND, Smith TL. Outcomes of surgery for inferior turbinate hypertrophy. Curr Opin Otolaryngol Head Neck Surg. 2010;18(1):49-53.
- Caffier PP, Scherer H, Neumann K, Luck S, Enzmann H, Haisch A. Diode laser treatment in therapy-resistant allergic rhinitis: impact on nasal obstruction and associated symptoms. Lasers Med Sci. 2011;26(1):57-67.
- Hegazy HM, ElBadawey MR, Behery A. Inferior turbinate reduction; coblation versus microdebrider - a prospective, randomised study. Rhinology 20147;52(4):306-14.
- Hizli O, Kayabasi S, Ozkan D. Is Nasal septal body size associated with inferior turbinate hypertrophy and allergic rhinitis? J Craniofac Surg. 2020;31(3):778-81.
- Hong HR, Jang YJ. Correlation between remnant inferior turbinate volume and symptom severity of empty nose syndrome. Laryngoscope 2016;126(6):1290–5.
- Kim YH, Kim BJ, Bang KH, Hwang Y, Jang TY. Septoplasty improves life quality related to allergy in patients with septal deviation and allergic rhinitis. Otolaryngol Head Neck Surg. 2011;145(6):910-4.
- Koçak HE, Altaş B, Aydın S, Taşkın Ü, Oktay MF, Elbistanlı MS, *et al*. Assessment of inferior turbinate radiofrequency treatment: Monopolar versus bipolar. Otolaryngol Pol 2016;70(4):22–8.
- Larrabee YC, Kacker A. Which inferior turbinate reduction technique best decreases nasal ob-

struction? Laryngoscope 2014;124(4):814–5.

- Lin HC, Lin PW, Friedman M, Chang HW, Su YY, Chen YJ, *et al*. Long-term results of radiofrequency turbinoplasty for allergic rhinitis refractory to medical therapy. Arch Otolaryngol Head Neck Surg. 2010;136(9):892-5.
- Prokopakis EP, Koudounarakis EI, Velegrakis GA. Efficacy of inferior turbinoplasty with the use of CO2 laser, radiofrequency, and electrocautery. Am J Rhinol Allergy. 2014;28(3):269-72.
- Sonoda S, Murakami D, Saito Y, Miyamoto Y, Higuchi R, Kikuchi Y, Sawatsubashi M, Nakagawa T. Long-term effectiveness, safety, and quality of life outcomes following endoscopic posterior nasal neurectomy with submucosal turbinectomy for the treatment of intractable severe chronic rhinitis. Auris Nasus Larynx. 2021;48(4):636-45.
- Ye T, Zhou B. Update on surgical management of adult inferior turbinate hypertrophy. Curr Opin Otolaryngol Head Neck Surg. 2015;23(1):29-33.

IX

알레르기 비염의 동반질환

IX

알레르기 비염의 동반질환

원저자: 김병국, 이건희, 박찬순, 김현직, 한두희
개정판: 이우현

1. 만성 비부비동염(Chronic rhinosinusitis)

알레르기 비염에 대한 ARIA (Allergic rhinitis and its impact on asthma) 가이드라인과 만성 비부비동염에 대한 EPOS (European position paper on rhinosinusitis and nasal polyps) 가이드라인에서 각각 알레르기 비염에서 만성 비부비동염이 동반되는 관련성이 언급되어 있지만 아직도 그 관계가 명확하게 밝혀지지 않았다. 또한 알레르기와 만성 비부비동염의 연관성에 관한 연구들도 서로 상반된 결과를 보이고 있다. 하지만 CT를 이용한 연구에서는 정상인의 33.4%에서 만성 비부비동염이 동반되는 반면, 알레르기 비염 환자에서는 67.5%에서 동반된다는 결과가 있다. 알레르기 비염 환자 중 계절성보다는 통년성 알레르기 비염 환자에서 만성 비부비동염이 많이 동반된다는 연구 결과가 있는데, 이는 통년성 항원의 경우 상대적으로 환자가 더 오랜 기간 동안 고농도로 노출되기 때문으로 생각된다. 우리나라에서 2014년 발표된 국민건강영양조사사업의 결과에서도 정상인에 비해 알레르기 비염 환자에서 만성 비부비동염(OR=13.93)이 발생할 위험도가 높았다. 한편 약물치료에 실패한 만성 비부비동염 환자의 82%에서 알레르기 피부반응 검사가 양성이며 비용종을 동반한 경우 여러 항원에 양성을 나타내며 천식을 동반한다는 연구 결과도 있다.

이론적으로 알레르기 비염 환자들은 흡입된 알레르기 항원에 의해 코점막이 비후되고 과량의 분비물이 나오므로 이를 정화할 수 있는 점액섬모운동 능력이 충분치 못하게 되어 비부비동염이 발생할 수 있다. 병리조직학적인 연구에 따르면 알레르기를 동반한 만성 비부비동염 환자의 사골동조직과 비용에서 국소 T 세포 침윤과 Th2 사이토카인인 IL-4, IL-5, IL-13의 분비가 확인되었다. 이는 Th2 사이토카인의 분비가 국소 IgE 생산과 호산구 침윤을 통해 알레르기 염증을 지속시킨다고 설명할 수 있으나 만성 비부비동염에서 호산구 침윤의 정도와 알레르기의 유무는 별개라는 보고도 있다.

결론적으로 알레르기 비염과 만성 비부비동염은 증상 및 징후가 비슷하고 연관관계에 관한 이론적인 근거들이 있으며 역학적으로도 알레르기 비염 환자에서 만성 비부비동염이 많이 동반된다. 하지만 아직까지는 두 질환의 연관성에 대해 전향적 연구를 포함한 추가적인 연구가 필요하다. 질환의 연관성에 대한 확증적인 연구가 부족함에도 불구하고 만성 비부비동염을 동반한 알레르기 비염 환자에서 두 가지 질환에 대한 치료를 함께 하는 것이 바람직할 것으로 생각된다.

2. 삼출성 중이염(Otitis media with effusion)

삼출성 중이염 병인에 대해서 감염, 이관기능장애, 국소 염증반응, 아토피 등 많은 가설이 존재하지만 그중의 하나가 알레르기의 역할이다. 동물실험을 통해 알레르기성 염증이 이관기능장애를 일으킨다는 것은 입증되었으며 임상연구에서도 알레르기 비염을 가진 사람에서 코에 알레르기를 유발시키면 중이강 내 음압이 걸리며 정상인보다 알레르기 비염 환자에서 이관장애가 더 빈번하게 일어나는 것이 관찰되었다. 이관도 호흡상피로 덮여 있기 때문에 알레르기 비염을 일으키는 염증매개물질이 이관에도 염증을 유발시키며 이로 인해 이관의 직경이 작아지고 점액섬모수송이 방해되어 급성 중이염이 재발성 중이염으로 발전한다. 또한 아토피를 가진 환자의 중이 삼출액에서 호산구, T 세포, IL-4 mRNA가 의미 있게 증가되어 있었다. 하지만 항원이 직접 이관에 축적되어 국소면역반응을 일으키는 것인지 전신면역반응의 일환으로 일어나는 것인지는 아직 명확하지 않다.

역학조사들을 보면 삼출성 중이염이 있는 환자군에서 알레르기 비염이 24-89%에서 동반되어 일반인에 비해 상대적으로 높게 나타났다. 259명의 삼출성 중이염 환아를 대상으로 한 연구에서는 50%에서 알레르기 피부반응검사, 코점막 호산구 증가, 코점막 항원유발반응 후 혈청 IgE 증가의 세 가지 검사 중 두 개 이상에서 양성반응을 보였다.

알레르기 비염의 치료를 통해 삼출성 중이염 치료에 도움을 줄 수 있을 것이라는 가정하에 시행한 동물 실험에서는 항히스타민제가 이관기능장애를 개선하고 삼출성 중이염에 효과가 있는 것으로 보고되었지만, 메타분석(meta-analysis)에서 항히스타민제, 비점막수축제 혹은 병합요법 모두에서 중이염의 호전에 유의한 효과가 없는 것으로 밝혀져 삼출성 중이염 치료 가이드라인에서 이러한 약물의 사용이 제외되었다. 하지만 국소용 스테로이드제의 경우 항생제요법과 병용요법으로 단기간(3개월) 사용하는 것이 수술을 기피하는 환자에서 적용될 수 있다.

알레르기 비염에서 삼출성 중이염으로 발전되는지에 관한 추가적인 의문점들이 있지만 재발성 삼출성 중이염을 나타내는 환아에 있어 알레르기검사를 통해 알레르기 동반 여부를 확인하여 치료하는 것이 필요할 것으로 생각된다.

3. 기관지 천식(Bronchial asthma)

기관지 천식은 기도의 만성적인 알레르기 염증반응으로 인하여 기도 과민성 및 가역적인 기도 폐쇄를 일으켜 임상적으로 반복적인 호흡곤란 및 천명과 기침을 동반하는 질환이다.

천식과 알레르기 비염은 종종 동시에 발생하며, 두 질환 모두 삶의 질을 악화시키는 큰 요인이 된다. 알레르기 비염 환자의 10-40%에서 천식을 동반하고 있으며, 절반 이상의 천식환자에서 알레르기 비염이 있는 것으로 알려져 있다. 또한 소아의 경우 천식의 발생이 비염의 유병기간 및 중증도와 밀접한 연관관계가 있다. 두 질환이 동시에 관찰되는 경우가 많은 이유는 병태생리학적과 조직학적인 측면에서 매우 유사한 양상을 나타내기 때문이다. 따라서 알레르기 비염 환자의 검사에서 천식에 관한 평가는 반드시 이루어져야 한다.

이전 연구에 의하면 알레르기 비염과 천식을 동시에 가지고 있는 환자들은 천식만 있는 환자에 비해 천식증상이 악화되는 빈도가 잦고, 그로 인해 응급실 방문하게 되는 횟수도 많아진다. 알레르기 비염과 천식이 동반되는 환자들의 경우 삶의 질이 매우 떨어지며, 수면장애도 더 많이 발생하고, 비염 증상이 더 심하게 나타난다. 따라서, 알레르기 비염과 천식이 동반된 환자의 경우에 두 질환에 관한 보다 적극적인 관심과 치료가 필요하다.

천식이 동반된 알레르기 비염 환자에게 항히스타민제와 국소용 스테로이드를 사용하면 기관지 과민성이 줄어들어 천식 조절을 용이하게 한다. 또한 알레르기 비염의 단독 치료 시 루코트리엔 길항제는 일차선택약이 아니지만, 천식과 동반된 경우 두 질환의 동시 조절을 위해 적합한 선택약이 될 수 있다. 알레르기 비염 소아에게 면역치료를 시행할 경우 천식으로의 발전을 예방하고 새로운 알레르기 항원에 대한 감작을 줄이므로 고려의 대상이다. 환경적으로는 집먼지 진드기(house dust mite)에 조기에 노출되었을 때 천식 발생률이 높아진다는 연구 결과를 고려할 때 부모 혹은 형제 중에 천식이나 알레르기 비염이 있는 경우에는 천식의 예방을 위해 집먼지 진드기의 노출을 줄이는 생활 요법을 환자 및 보호자에게 교육하는 것이 필요하다.

4. 알레르기 결막염(Allergic conjunctivitis)

알레르기 결막염은 세균성 결막염, 안구 건조증, 마이봄선질환(meibomian gland disease), 안검염(blepharitis) 등 여러 가지 안질환과 증상이 유사하여 감별진단에 유의하여야 하고, 알레르기 비염에서 발생하는 안질환과의 감별도 중요하다.

알레르기 결막염 환자의 대표적인 증상은 가려움증과 안구 충혈이며 그 외에도 안구 작열감(burning), 찌르는 듯한 통증(stinging), 광선공포증(photophobia), 과도한 눈물, 안구 분비물(discharge), 결막부종(chemosis), 안구건조감 등을 호소할 수 있다. 하지만, 환자의 증상이 명확하고 다른 질환과 감별이 확실하다면 알레르기검사를 반드시 시행할 필요는 없다.

안구 표면 윤활제(ocular surface lubricant)의 일종인 등장성 생리식염수, 인공누액, 연고 등이 눈에서 항원을 분리시키고 제거하는 데 유용하게 사용되지만 알레르기 반응을 직접적으로 억제하지 못하므로 일시적인 증상 경감을 위해서 사용될 수 있다. 국소용 혈관수축제는

α-길항제(agonist)로 안구충혈과 부종을 줄일 수 있으나 과다하게 사용할 시에는 동공확장(pupil dilatation, mydriasis)을 유발하고 결막에 반동성 충혈(rebound hyperemia)을 일으키므로 사용 시 주의해야 한다. 따라서 혈관수축제는 알레르기 결막염의 치료에는 권장되지 않으며 국소용 항히스타민제가 더 안전하고 효과적이다. 최근에 국소용 항히스타민제가 알레르기 결막염에 주된 치료제로 이용되고 있으며 가려움증의 호전에 탁월하지만 눈 주위의 자극감 및 이물감을 유발할 수 있어 특히 노인 환자에 사용 시에 주의해야 한다. 경구용 항히스타민제도 사용이 가능하지만 안구 건조감을 일으킬 수 있으므로 알레르기 비염 등 다른 알레르기 질환이 없는 환자에서는 국소용 항히스타민 제제가 더 선호된다.

비만세포 안정제는 계절성 혹은 통년성 알레르기 결막염에 효과적으로 사용되며 초기 알레르기 반응 또는 지연형 알레르기 반응 모두 억제할 수 있다고 알려져 있다. 항히스타민 제제와 혈관수축제가 복합된 안약은 가려움증과 안구 충혈 및 부종에 모두 효과가 좋다고 알려져 있어 선호되고 있으나 다른 약제에 비해 작용시간이 짧고 활성화되는 시간이 길다는 단점이 있고 진정작용 및 반동성 충혈(rebound hyperemia)의 부작용이 있다.

가장 각광받는 약제는 항히스타민제와 비만세포 안정제의 복합제제이며 증상 경감에도 효과적이고 빠른 시간 내에 효과를 볼 수 있고 작용시간이 길어 하루 한 번이나 두 번 정도의 처치로 충분히 알레르기 결막염 증상의 치료가 가능하다. NSAIDs 계열의 약제도 가려움증을 줄이는 효과가 있지만 계절성 결막염에만 사용하도록 FDA 승인이 제한되어 있다. 국소용 스테로이드제는 알레르기 결막염의 염증반응을 줄이는 데 유용하며 특히 초기 알레르기 반응을 효과적으로 줄일 수 있으나, 장기간 사용 시 안압을 올릴 수 있어 조심해야 하며 백내장을 일으킬 수도 있어 사용 시 이에 관한 모니터링이 필요하다.

5. 아토피 피부염(Atopic dermatitis)

건강한 피부는 수분의 소실이나 외부 영향에 대한 방어벽 역할을 하는데, 방어에 관여하는 유전자나 단백질의 변성 혹은 변이가 일어나면 면역 기전이 제대로 작용을 못하여 자극물, 항원 그리고 세균 등의 침범이 나타나게 되면 아토피 피부염이 발생된다. 임상적으로 피부를 긁고 싶은 충동을 유발하는 불쾌한 감각인 가려움증이 아토피 피부염을 진단하는 가장 특징적인 증상이다.

알레르기 비염도 아토피 피부염의 동반질환으로 흔하게 발병하므로 천식과 더불어 아토피 행진(atopic march)이라고 부른다. 아토피 피부염이 있는 유소아는 추후에 천식이나 알레르기 비염이 동반될 확률이 피부염이 없는 유소아에 비해 2-3배 높은 것으로 알려져 있다. 일반적으로, 아토피 피부염 환자에서 호흡기 증상이 발생할 확률은 피부염의 중증도와 연관이 있는 것으로 보고되고 있다. 또한 역으로 아토피 피부염이 있는 환자는 알레르기 비염의 증상이 더 잦고 지속적으로 발생한다. 이러한 피부 질환과 호흡기 질환의 관련성은 공기 중 알레르기 유발 항원이 피부에 직접 접촉하여 발생하는 것으로 생각된다.

아토피 피부염을 성공적으로 관리하기 위해서는 환자와 부모에게 질병에 대한 교육이 선행되어야 하고 이에 따라 아토피 피부염의 치료는 완치가 아니라 조절이라는 점을 설명하여야 한다. 추가적으로 가장 주된 증상 조절 치료의 약제인 국소용 스테로이드제 연고의 장점과 부작용에 대해서도 정확한 정보를 알려주어야 한다. 올바른 피부 관리법 교육도 중요하다. 뜨거운 온수가 아닌 따듯한 물로 매일 목욕이나 샤워를 시키는 것이 세균의 제거, 피부 박피 제거 및 습윤 유지에 긍정적인 효과를 준다. 보습 크림을 하루에 두 번 정도 발라주는 것이 좋으며 가능한 목욕이나 샤워 직후에 시도하는 것이 도움이 되는데 다소 끈끈하고 기름기가 있는 크림이 더 유용하지만 알코올 성분이 포함된 크림은 피부 자극을 유발할 수 있어 조심해야 한다. 피부 병변 악화 요인들의 회피도 중요하여 춥거나 건조한 날씨에 악화될 수 있으며 세제 및 향수가 피부에 닿으면 병변이 악화될 수 있다는 사실도 염두하여야 한다. 또한 아토피 반응을 유발할 수 있는 항원 물질을 피해야 하며 피부 자극을 유발하는 모든 물질들은 피부에 닿지 않도록 유의해야 한다.

6. 수면질환

알레르기 비염 환자에서 수면에 관련된 증상 호소는 매우 흔하다. 알레르기 비염으로 인해 불면증이나 수면호흡장애(sleep-disordered breathing)가 발생할 수 있으며, 이로 인해 주간졸림증 등의 증상이 나타날 수 있다. 알레르기 비염 환자에서 폐쇄성 수면무호흡증(obstructive sleep apnea)의 유병률이 높게 보고되고 있고, 알레르기 비염과 수면무호흡증의 연관성은 여러 보고 및 임상시험에서 증명되고 있다. 역학조사에 따르면 코막힘은 수면호흡장애의 위험인자이며 알레르기 비염은 코막힘의 흔한 원인이므로 알레르기 비염은 수면호흡장애를 유발하는 위험인자라고 할 수 있다. 임상연구에 의하면 알레르기 비염 환자에서 정도의 차이는 있지만 야간에 코막힘을 느끼며, 약 절반의 환자에서 잠드는 데 어려움을 겪고, 코막힘으로 수면 중에 깨는 경우가 있다. 이러한 점을 고려하여 ARIA 가이드라인에서는 수면장애의 유무를 경증(mild)과 중등도 이상(moderate-severe)의 알레르기 비염으로 나누는 기준으로 제시하였다.

알레르기 비염과 수면질환의 연관성은 주로 알레르기 비염에 의한 비저항의 증가 및 이로 인한 코막힘으로 설명된다. 알레르기 비염에 의한 코막힘은 ① 전체 기도 저항을 증가시키고 ② 구강 호흡을 유발하여 하악과 설근부의 후하방 전위를 일으키며 ③ 비 반사(nasal reflex)에 장애를 일으켜 분당 환기량(minute ventilation)의 감소를 유발하는 대략 세 가지 기전에 의해 수면질환의 발생과 연관되어 있다. 그 외에도 알레르기 비염 치료를 위해 사용하는 약제가 중추신경계에 영향을 주어 수면장애를 유발할 수 있으며, 알레르기 비염에 의한 염증성 매개체의 영향 또는 코티졸(cortisol) 같은 호르몬 일주기(circadian rhythm) 변화에 의한 영향 등도 수면에 영향을 줄 수 있다.

수면질환 환자에서 알레르기 비염을 치료하면 비저항 및 코막힘이 감소되어 주관적인 증상의 호전과 함께 삶의 질도 개선될 수 있다. 소아에서도 편도 및 아데노이드 절제술 후 추가로 고주파 치료를 통해 코막힘을 개선하면 무호흡-저호흡지수(Apnea-Hypopnea Index, AHI)와 같은 객관적인 지표가 개선된다는 보고도 있다. 또한, 알레르기 비염을 동반한 수면질환 환자에서 AHI의 개선 여부와 관계없이 코막힘을 개선시키면 양압호흡기의 순응도를 높일 수 있음은 잘 알려진 사실이다. 이러한 사실들을 토대로 알레르기 비염의 치료는 수면질환의 치료 측면에서도 중요한 과정 중의 하나라고 할 수 있다.

7. 인지기능 장애 및 정신과 질환

알레르기 비염과 연관되어 발생 가능한 정신과적 질환 및 인지기능에 대한 연구는 과거에서부터 활발하게 진행되고 있다. 1990년대에 알레르기 비염 환자와 정상인의 집중력과 학습능력을 비교하는 연구가 진행되었는데, 알레르기 비염 환자군은 정상인에 비해 집중력과 학습능력이 떨어지는 결과를 보였다. 또 다른 연구에서는 알레르기 비염 환자의 인지능력이 일반인에 비해 떨어지며, 의사 결정에 더 오랜 시간이 걸렸다. 또한, 어린 시절의 알레르기 비염은 학습 능력, 기억력, 불안증, 자폐증 등에 영향을 줄 수 있다. 학습능력 및 인지기능 능력 저하를 막기 위해서도 알레르기 비염의 치료는 중요하며, 특히 소아나 청소년기에 더 깊은 주의가 필요하다. 일반인에 비해 알레르기 비염 환자는 우울증, 불안증, 수면장애 비율이 높게 나타나고 있으며, 심지어 자살률도 높았다.

결론적으로, 알레르기 비염의 치료는 정신과적 질환의 발생을 낮추는 데 영향을 미치게 되므로 적극적으로 치료할 필요가 있다.

References

- Bielory L, Delgado L, Katelaris CH, Leonardi A, Rosario N, Vichyanoud P. ICON: Diagnosis and management of allergic conjunctivitis. Ann Allergy Asthma Immunol. 2020;124(2):118-134.
- Brozek JL, Bousquet J, Baena-Cagnani CE, Bonini S, Canonica GW, Casale TB, *et al*. Allergic Rhinitis and its Impact on Asthma (ARIA) guidelines: 2016 revision. J Allergy Clin Immunol 2017;140(4):950-958.
- Chirakalwasan N, Ruxrungtham K. The linkage of allergic rhinitis and obstructive sleep apnea. Asian Pac J Allergy Immunol. 2014;32(4):276-86.
- Devillers AC, Oranje AP. Wet-wrap treatment in children with atopic dermatitis: a practical guideline. Pediatr Dermatol 2012;29(1):24-7.
- Druce HM. Seasonal allergic rhinitis and cognitive function. Ann Allergy Asthma Immunol. 2000;84(4):371-3.
- Gulotta G, Iannella G, Vicini C, Polimeni A, Greco A, de Vincentiis M, *et al*. Risk Factors for Obstructive Sleep Apnea Syndrome in Children: State of the Art. Int J Environ Res Public Health. 2019;16(18):3235.
- Hamilos DL. Chronic rhinosinusitis: Epidemiology and medical management J Allergy Clin Immunol 2011;128(4):693-707.
- Hellings PW, Fokkens WJ. Allergic rhinitis and its impact on Otorhinolaryngology. Allergy 2006;61(6):656-64.
- Qin P, Mortensen PB, Waltoft BL, Postolache TT. Allergy is associated with suicide completion with a possible mediating role of mood disorder-a population-based study. Allergy 2011;66(5):658-64.
- Rosario N, Bielory L. Epidermiology of allergic conjunctivitis. Curr Opin Allergy Clini Immunol 2011;11(5):471-6.
- Seidman MD, Gurgel RK, Lin SY, Schwartz SR, Baroody FM, *et al*. Clinical practice guideline: Allergic rhinitis: Otolaryngol Head Neck Surg 2015;152(1 Suppl):S1-43.
- Simon F, Haggard M, Rosenfeld RM, Jia H, Peer S, Calmels MN, *et al*. International consensus (ICON) on management of otitis media with effusion in children. Eur Ann Otorhinolaryngol

Head Neck Dis. 2018;135(1):S33-9.

- Wilson KF, McMains KC, Orlandi RR. The association between allergy and chronic rhinosinusitis with and without nasal polyps: an evidence-based review with recommendations. Int Forum Allergy Rhinol 2014;4(2):93-103.
- Wolter S, Price HN. Atopic dermatitis. Pediatr Clin North Am 2014;61(2):241-60.

개발위원회 가나다순

성명	소속 기관
김현직 (위원장)	서울대학교병원
김경수	중앙대학교병원
김규보	한림대학교 강동성심병원
민진영	경희대학교병원
박수경	세종충남대학교병원
송기재	가톨릭관동대학교 국제성모병원
위지혜	한림대학교성심병원
이우현	강원대학교병원
홍석진	성균관대학교 강북삼성병원
홍승노	서울대학교 보라매병원

자문위원회

성명	소속 기관
김대우	서울대학교 보라매병원
김태훈	고려대학교 안암병원
박찬순	가톨릭대학교 성빈센트병원
배우용	동아대학교병원
심우섭	충북대학교병원
유명상	울산대학교 서울아산병원
장정현	국민건강보험공단 일산병원
조규섭	부산대학교병원
조형주	연세대학교 세브란스병원
최지윤	조선대학교병원